AUTOCONHECIMENTO
NA FORMAÇÃO DO EDUCADOR

Dados Internacionais de Catalogação na Publicação (CIP)
(Câmara Brasileira do Livro, SP, Brasil)

Espírito Santo, Ruy Cezar do
  Autoconhecimento na formação do educador / Ruy Cezar do Espírito Santo. – 2. ed – São Paulo : Ágora, 2007.

  ISBN 978-85-7183-025-7

  1. Autoconhecimento – Teoria 2. Educação – Finalidades e objetivos 3. Prática de ensino 4. Professores – Formação profissional I. Título.

07-0279   CDD-370.7

Índices para catálogo sistemático:

1. Educadores : Formação   370.7
2. Formação de educadores   370.7

EDITORA AFILIADA

Compre em lugar de fotocopiar.
Cada real que você dá por um livro recompensa seus autores
e os convida a produzir mais sobre o tema;
incentiva seus editores a encomendar, traduzir e publicar
outras obras sobreo assunto;
e paga aos livreiros por estocar e levar até você livros
para a sua informação e o se entretenimento.
Cada real que você dá pela fotocópia não autorizada de um livro
financia um crime
e ajuda a matar a produção intelectual de seu país.

Ruy Cezar do Espírito Santo

**AUTOCONHECIMENTO
NA FORMAÇÃO DO EDUCADOR**

AUTOCONHECIMENTO NA FORMAÇÃO DO EDUCADOR
Copyright © 2007 by Ruy Cezar do Espírito Santo
Direitos desta edição reservados por Summus Editorial

Diretora editorial: **Edith M. Elek**
Editora executiva: **Soraia Bini Cury**
Assistentes editoriais: **Bibiana Leme e Martha Lopes**
Capa: **BVDA**
Projeto gráfico: **Daniel Rampazzo /Casa de Ideias**
Diagramação: **Daniel Rampazzo /Casa de Ideias**

Editora Ágora
Departamento editorial
Rua Itapirucu, 613 – 7º andar
05006-000 – São Paulo – SP
Fone: (11) 3872-3322
Fax: (11) 3872-7476
http://www.editoraagora.com.br
e-mail: agora@editoraagora.com.br

Atendimento ao consumidor
Summus Editorial
Fone: (11) 3865-9890

Vendas por atacado
Fone: (11) 3873-8638
Fax: (11) 3873-7085
email: vendas@summus.com.br

Impresso no Brasil

SUMÁRIO

Prefácio	7
Introdução	15
1. A capacidade de criar e destruir do ser humano	19
2. O ser humano entre outros "seres": o mistério de nossa ignorância	25
3. As possibilidades de conexões: o mistério do Amor	31
4. A questão do tempo	37
5. A questão das permanentes transformações	43
6. A questão da conscientização	49
7. A questão da sincronicidade	57
8. A formação do educador	65
9. A questão do feminino	75
10. O Brasil e sua missão com a educação	81
Conclusões	87
Bibliografia	91
Anexo	93

PREFÁCIO

Conheci pessoalmente Ruy Cezar do Espírito Santo entre os anos de 1995 e 1996. Já o conhecia pela sua dissertação de mestrado, "Pedagogia da transgressão", defendida na PUC-SP[1]. Era diretor de uma escola de educação básica na cidade de Pindamonhangaba e estava às voltas com a organização de um Fórum de Educação para Pais. Naquele momento, eu precisava de profissionais do campo da Educação que trouxessem aos pais uma mensagem ao mesmo tempo de orientação e esperança, pois vivíamos – e ainda vivemos – situações angustiantes em decorrência das dificuldades nas relações entre pais e filhos, educadores e educandos.

---

[1] Dissertação publicada pela Editora Papirus com o mesmo título.

Havia ficado bem impressionado com as proposições de Ruy em seu trabalho de mestrado: transgredir o paradigma cartesiano e buscar construir novas propostas de visão de mundo, relações humanas e educação; estar atento aos processos de transformações que a vida traz e sensível às necessidades que estas apresentam; cuidar do corpo físico, do corpo mental, do corpo emocional e do corpo espiritual buscando expressar no cotidiano a unidade indissolúvel desses corpos; viver alegre e corajosamente, no Agora, o processo de autoconhecimento.

Além de outros profissionais, convidei Ruy para participar do Fórum. Ele esteve presente e conversou com os pais de um jeito simples e direto, sem, contudo, fugir dos fundamentos teóricos que alicerçam seu trabalho. Ruy conversou, contou histórias, partilhou das experiências vividas e marcou profundamente as pessoas que estiveram ali.

Sou testemunha desse fato uma vez que, sendo diretor, tive acesso aos questionários de avaliação do Fórum. Muitos pais também me procuraram para comentar o quanto havia sido importante aquele momento.

Fiz questão de lembrar esse episódio de minha convivência com Ruy porque ele traz, a meu ver, os aspectos que caracterizam suas grandes contribuições para a educação, escolar e não-escolar, neste momento de crise e transições que vivemos:

- Fazer ver a necessidade de identificar, criticar e transgredir o paradigma cartesiano.
- Mostrar a importância de compreender o ser humano em sua inteireza física, racional, emocional e espiritual.
- Auxiliar a tomar consciência do fluxo contínuo de transformações e mudanças em nosso cotidiano e, daí, a necessidade de viver o Agora.

- Defender a impossibilidade de qualquer avanço rumo à construção de novos tempos – com mais beleza, ciência, alegria, amor e justiça – se não estiver presente nos diferentes espaços educativos o processo de autoconhecimento dos sujeitos ali envolvidos;
- Indicar a interdisciplinaridade como um dos caminhos de superação da fragmentação da cultura gerada pela modernidade, como a construção da interdisciplinaridade demandando necessariamente o autoconhecimento.

Toda a obra de Ruy tem sido um esforço de apresentar aos educadores e educadoras – aos homens e mulheres de nosso tempo e da sociedade brasileira – esses fundamentos, sem os quais não conseguiremos avançar em direção a um amadurecimento humano que comporte respeito pelas diferenças, diálogo, comunhão, amor e realização[2].

Este trabalho de Ruy traz, contudo, uma especificidade: a preocupação com o autoconhecimento na formação do educador. Se o autoconhecimento é um tema importante para todo e qualquer ser humano que queira realizar o processo de construção de si mesmo de forma consciente e rumo à integração dos muitos fios que tecem a complexidade de nossa condição humana, ele é, de modo especial, fundamental aos educadores. Afinal, são esses profissionais os responsáveis, em grande medida, pela *iniciação* das novas gerações aos processos pelos quais nos construímos como seres humanos no mundo.

Para sugerir caminhos de autoconhecimento, Ruy apresenta – sob a forma de pequenas e densas sínteses (fundadas em con-

---

[2] Conferir de modo especial as obras "solo" de Ruy Cezar do Espírito Santo: *Pedagogia da transgressão*, *O renascimento do sagrado na educação*, *Histórias que educam* e *Desafios na formação do educador: retomando o ato de educar*.

sistentes e atuais referências teóricas, em especial da filosofia, da educação, da psicologia, da espiritualidade e da física) e auxiliado por poemas que ele mesmo escreveu, além de trechos de depoimentos de alunos e alunas que realizaram experiências formativas profundas sob sua orientação – seu modo de compreender quem é o ser humano (capítulos 1, 2 e 3), como é a realidade na qual existimos (capítulos 4, 5, 6 e 7) e algumas maneiras pelas quais educadores e educadoras podem contribuir para o processo de transformação paradigmática em curso (capítulos 8, 9 e 10).

Todos esses capítulos estão perpassados pelo tema do autoconhecimento, sugerindo e inspirando caminhos a quem deseje educar na/para inteireza. Todos eles trazem aspectos fundamentais da condição humana: a capacidade humana de criar e destruir; a relação do ser humano com os demais viventes; o Amor; o Tempo; as transformações; a conscientização; a sincronicidade; o feminino presente no homem e na mulher; os desafios antropológicos, políticos e culturais da tarefa de educar no Brasil hoje.

E por que tantos temas? Porque ao mergulhar no processo de autoconhecimento mergulha-se no próprio tecido (= *complexus* = muitos e diferentes fios entrelaçados) da condição humana: uma malha complexa a nos exigir a capacidade de conhecer e cuidar dos múltiplos aspectos que temos desenvolvido para nos constituir ao longo dos tempos.

Gostaria de fazer destaque aqui a dois dentre os muitos e importantes temas que Ruy aborda neste livro.

O primeiro deles é o Amor. Ruy trata dele no capítulo intitulado "As possibilidades de conexões: o mistério do Amor". É um tema delicado, do qual muitos acadêmicos e professores tendem a fugir por não conseguirem ver nele razoável cientificidade. Tema que, entretanto, tem estado presente sempre no desejo/impulso/ vibração da humanidade, na obra de poetas, de filósofos e de investigadores abertos à condição humana. Há muitos educadores, mais ou menos contemporâneos a nós, que não fugiram dele: Paulo Freire, Rubem Alves, José Pacheco, Morin, Janusz Korczak, Rudolf Steiner e, mais um pouco distante no tempo, dom Bosco. Mas também é verdade que é um tema pouco presente nos atuais processos de formação de professores. Às vezes tenho a sensação de que, para alguns (e não são poucos!), falar de Amor na academia significa "manchar" a construção que a racionalidade moderna elaborou para "explicar" cientificamente os processos educativos. Talvez seja bom aqui lembrar Morin em *Os sete saberes necessários à educação do futuro*, pois não nos definimos apenas por nossa racionalidade, como "se ensinava" não faz muito tempo ("O homem é um animal racional!"):

> Somos seres infantis, neuróticos, delirantes e também racionais. Tudo isto constitui o estofo propriamente humano. O ser humano é um ser racional e irracional, capaz de medida e desmedida; sujeito de afetividade intensa e instável. [...] ansioso, angustiado, gozador, ébrio, extático; é um ser de violência e de ternura, de amor e de ódio [...] nutre-se de conhecimentos comprovados, mas também de ilusões e de quimeras. E quando, na ruptura de controles racionais, culturais, materiais, há confusão entre o objetivo e o subjetivo, entre o real e o imaginário, quando há hegemonia de ilusões, excesso desencadeado, então o *Homo demens* submete o *Homo sapiens* e subordina a inteligência racional a serviço de seus monstros.[3]

Consigo compreender o receio que muitos têm de cair em "pieguices" esvaziadas de fundamentos racionais, mas não con-

---
[3] Morin, Edgar. *Os sete saberes necessários à educação do futuro*. São Paulo: Cortez; Brasília: Unesco, 2000, p. 59-60.

sigo compreender que esse receio imponha aos pesquisadores e educadores a atitude de fechar os olhos a um aspecto do desenvolvimento humano que vem se apresentando como central ao longo dos tempos. Ao contrário, entendo que estudar o Amor – aprofundá-lo e confrontá-lo com base nas contradições humanas – é uma maneira de construir atitudes educativas que venham auxiliar a evitar os excessos reducionistas contra a inteireza humana.

O segundo tema, visceralmente ligado ao primeiro que destaquei, é o tema da capacidade humana de criar e destruir. Afirma Ruy que "esse mesmo ser humano que 'cria' beleza, alegria e amor de forma única" é também "o único ser vivo a 'fazer a guerra' contra uma raça, uma religião ou, ainda, capaz de destruir o planeta como pré-anunciado em 1945". Ainda segundo ele, "essa possibilidade de destruir a Vida percebida com a explosão das bombas atômicas é que fez o ser humano se voltar para si mesmo e para o mistério da existência" nestes tempos em que estamos vivendo.

Como construtor da história, o ser humano está sempre decidindo sobre o presente e o futuro da espécie e do planeta. O tempo de hoje é também singular. Nunca tivemos tanto desenvolvimento científico e tecnológico acumulados e, no entanto, nunca estivemos tão perto da autodestruição como agora. As reflexões de Ruy, apoiadas em leituras e pesquisas respeitáveis, fazem ver que, se concomitantemente a este desenvolvimento científico e tecnológico não se fizer também um profundo esforço, individual e coletivo, de autoconhecimento que auxilie a vislumbrar as opções positivas e construtivas que temos pela frente, então poderemos produzir a morte da Vida sobre a Terra.

Os educadores, por certo, não têm apenas eles condições de modificar esta situação, mas sua contribuição para essa transformação é essencial. Edgar Morin, em texto recentemente publicado em jornal[4], dizia que neste momento a humanidade vive dores de uma crise que não se sabe se são dores do parto de uma nova cultura e de um novo tempo ou se são dores do aborto da própria humanidade. Segundo ele, ainda, o futuro nos dirá.

Penso que os educadores, auxiliados pelo processo de autoconhecimento, já podem ir fazendo suas escolhas conscientes e sua intervenção no processo de construção da história. Pela educação podemos ajudar as pessoas a fazer a opção de participar da gestação e do parto de uma nova cultura com alegria, beleza, solidariedade e justiça. Ou também podemos ajudar a construir o aborto de nossa própria espécie e de todo o planeta. O que queremos? Qual a nossa opção? O processo de explorar a si mesmo, com a finalidade de conhecer-se, será fundamental na definição dessa resposta.

Tenho certeza que este trabalho de Ruy auxiliará educadores e educadoras, dos espaços escolares e não-escolares, a mergulhar no exigente mas feliz processo de conhecer a si mesmos e a perceber o quanto podemos fazer diferença, nesta hora, na construção das histórias individuais e coletivas da humanidade presente.

Quero concluir este Prefácio lembrando mais uma vez Paulo Freire: "Ensinar exige a convicção de que a mudança é possível".

Mudar é preciso. Mãos à obra.

ELYDIO DOS SANTOS NETO
DOCENTE E PESQUISADOR DO PROGRAMA DE MESTRADO EM EDUCAÇÃO DA UNIVERSIDADE METODISTA DE SÃO PAULO (UMESP), ONDE TAMBÉM É DIRETOR DA FACULDADE DE EDUCAÇÃO E LETRAS. AUTOR DE *POR UMA EDUCAÇÃO TRANSPESSOAL* (CO-EDIÇÃO LUCERNA/METODISTA).

---

[4] Conferir Morin, E. "Por uma globalização plural". *Folha de S.Paulo*, 31 mar. 2002, p. A17.

INTRODUÇÃO

O tema do autoconhecimento lembrado historicamente pela primeira vez por Sócrates, com seu famoso "Conhece-te a ti mesmo", como o "princípio de toda a sabedoria", é retomado de forma enfática com Carl Gustav Jung, no século XX, como o processo de individuação.

Em obra recentemente traduzida para o português, de autoria de Edward Hoffman, denominada *A sabedoria de Carl Jung* (2005), o autor situa, do conhecido psicólogo, as seguintes manifestações sobre a incógnita do ser humano: "Para descobrir o que é verdadeiramente individual em nós, necessitamos de uma profunda reflexão: e subitamente percebemos como é extraordinariamente difícil descobrir o que é a individualidade" (p. 113). Ou ainda:

> O público em geral parece ter mais conhecimento da existência da psique inconsciente do que os chamados especialistas, mas ainda ninguém tirou qualquer conclusão do fato de que o homem ocidental confronta-se consigo mesmo como se fosse um estranho e que o autoconhecimento é uma das artes mais difíceis e exigentes (p. 223).

Esse mistério que envolve a identidade última do ser humano é normalmente confundido com a imagem, que Jung denominava "persona". Nesse sentido, na mesma obra afirma o autor, transcrevendo Jung:

> Fundamentalmente a "persona" não é nada real: é um compromisso entre indivíduo e sociedade em relação ao que um homem aparentemente deveria ser. Ele assume um nome, ganha um título, exerce uma função, é isto ou aquilo. Em certo sentido, tudo isso é real. No entanto, em relação à individualidade essencial da pessoa envolvida, esta é somente uma realidade secundária (p. 113).

Ou ainda:

> A identificação com uma profissão ou título é na realidade muito atraente; é precisamente por isso que tantas pessoas não são nada mais do que o decoro concedido a elas pela sociedade. Em vão procuramos uma personalidade por detrás dessa máscara. Por baixo de todo esse acolchoamento, encontraríamos uma criaturinha digna de muita piedade. É por isso que a profissão – ou qualquer outra capa exterior – é tão atraente: ela oferece uma compensação fácil para as deficiências pessoais (p. 112).

Essa identificação egóica do ser humano com sua profissão ou *status* social é a causa de grande parte do sofrimento vivido por tantos, pois a verdadeira identidade permanece oculta, levando as pessoas a viver nas trevas de uma ignorância fundamental de si mesmas.

No caso de um Educador, o drama é sua identificação com a "persona" de "professor".

Assim, o objetivo da reflexão aqui trazida sobre o autoconhecimento é colaborar para o início de um Caminhar em direção à verdadeira identidade.

Não pretendo, nem poderia, esgotar a imensidade da questão, mas tentarei trazer os elementos que fui encontrando nesse Caminho, por meio do meu trabalho como educador, durante esses últimos 35 anos.

É a partilha do que aí foi descoberto que tento aqui fazer. Após alguns capítulos, o leitor encontrará um poema, inspirações que tenho sobre cada tema.

1.
A CAPACIDADE DE CRIAR
E DESTRUIR DO SER HUMANO

Por que o autoconhecimento, já apontado como o "princípio de toda a sabedoria" por Sócrates, é hoje retomado? Sim, conclui-se hoje, crescentemente, que a ignorância de si mesmo é um obstáculo evidente em nosso Caminhar.

Tal ignorância pode gestar uma bomba atômica, porém, se superada, pode abrir as portas ao "cuidar da Vida". Como está registrado no Novo Testamento, Jesus dizia que temos olhos e não vemos, e ouvidos e não ouvimos...

Evidentemente, tal reflexão jamais se aplicaria a qualquer outro ser vivo. Jesus referia-se a um "não querer ver ou ouvir". Coelhos ou carneiros vivem a plenitude de seus seres dentro dos projetos biológicos que os geraram, vendo e ouvindo naturalmente.

Por outro lado, o ser humano é o único ser vivo que, desde sempre, luta, sofre e teme a morte (diferente do medo de um predador), ou seja, vive um "sacrifício existencial" peculiar e sempre singular, não obstante, tantas vezes, continuar não querendo ver ou ouvir.

Paradoxalmente, é também esse mesmo ser humano que "cria" beleza, alegria e amor de forma única, bastando constatar a existência das sinfonias, das pinturas, dos textos escritos, das peças teatrais, das descobertas científicas e assim por diante.

É ainda o ser humano o único ser vivo que "cuida" daqueles que são deficientes, carentes de alguma forma ou necessitados de apoio e auxílio.

Porém, é também o único ser vivo a "fazer a guerra" contra uma raça, uma religião ou, ainda, capaz de destruir o planeta, como pré-anunciado em 1945. Essa possibilidade de destruir a Vida, percebida com a explosão das bombas atômicas, é que fez o ser humano voltar-se para si mesmo e para o mistério da existência. Percebeu o Homem que tanto poderia criar como destruir a Vida à sua volta. Sim, o ser humano é um mistério de "criação e destruição". Quem somos nós?

Criar e Destruir

Duas forças atuam no Universo
A Criação e a Destruição
Terremotos e Terra firme
Vulcões e Velhas Montanhas

O Furacão e a Brisa suave
O Maremoto e as Ondas nas praias
As Tempestades e o Sol radioso
A Noite escura e o Dia iluminado

Assim o Ser Humano:
Guerra e Paz
Agressão e Carícia
Amor e Ódio

A Mão que afaga
Puxa o gatilho
Olhos acolhedores
Brilham de raiva...

Ouvidos que escutam
Podem ser ouvidos moucos
A palavra criadora
Pode ser a palavra destruidora...

Mistério profundo

A Energia criadora é ao mesmo tempo destruidora...
Independentemente da vontade humana
Essa energia atua na natureza...

A partir da vontade humana
Essa Energia atua na Liberdade...
Mistério de Gratuidade: o livre-arbítrio é uma peculiaridade do ser humano...
Mistério de Dependência: o ser humano "entrega" a outrem "seu" livre-arbítrio.
Na gratuidade a Liberdade é criadora
Na dependência a Liberdade é destruidora
Por que age assim o ser humano?
Por que somente não cria? Por que destrói?

A busca destas respostas faz parte do início do Caminho do Autoconhecimento, que poeticamente pode ser assim definido:

Se houver um justo

Se houver um justo...
Não destruirei Sodoma e Gomorra...
"Pai, perdoai...
Eles não sabem o que fazem..."
Assim dizem as antigas Tradições
O valor do justo
A dimensão imensa
Do Perdão...
Dizem também do Sentido e do Significado
Da dimensão ínfima do Ser Humano
Diante do Universo
Do valor incomensurável do seu Ser...
Buscar tal Sentido
Tal significação
Implica Sabedoria
Sabedoria que tem sua Fonte no "Si Mesmo"...

Assim dizia Sócrates:
O "Conhece-te a Ti mesmo"
É o princípio de toda a sabedoria...

E ainda:

"Que o sábio é aquele que sabe que nada sabe"...
Mistério profundo
Ignorância não sabida e "perdoável"...
Ignorância assumida: o Caminho do aprendiz...
O "Eterno Aprendiz" reside em nossas entranhas...
A ser "desperto"...
Para iniciar a jornada do autoconhecimento
Na eternidade do Agora...
Sim, esse "aprendiz" que acorda
"Escapa" do tempo do relógio
Para habitar o Presente
Que é parte de sua essência...
"Velho" é o ser humano que não acorda o "aprendiz"...
"Jovem" é o ser humano que desperta a "eterna criança"...
Surgindo, então, a matéria-prima da Vida:
A Alegria!

2.
O SER HUMANO ENTRE OUTROS "SERES":
O MISTÉRIO DE NOSSA IGNORÂNCIA

Em nosso planeta cada ser vivo observado na natureza convive ecologicamente com seu "meio". Florestas abrigam milhares de seres vegetais e animais, que convivem de forma equilibrada se seu contexto não for "invadido" por outros seres, especialmente pelos seres humanos.

E o ser humano? Pode viver ecologicamente?

Aparentemente o ser humano sempre enfrentou seus "inimigos" e buscou escravizá-los ou eliminá-los. Raças humanas se apresentaram como "eleitas" ou "superiores". Religiões das mais diversas origens se afirmaram "possuidoras" da "única verdade".

Assim, os humanos sempre conviveram em ambientes muito hostis do ponto de vista de seus próprios "semelhantes".

Por outro lado, grande parte da humanidade descuidou da natureza, tendo chegado ao século XX em um quadro de destruição do meio ambiente.

Há neste quadro um mistério que nos remete a buscar o sentido de tal existência. Quem somos nós, afinal?

Houve uma "evolução", com base em uma matéria primal, que nos distinguiu dos outros seres vivos de forma tão evidente, ou teríamos um "Criador", que nos diferenciou do restante de sua "criação" por motivos desconhecidos?

Tais questões têm sido objeto de diversas reflexões filosóficas e continuam sendo parte fundamental de crenças originárias das diversas etnias conhecidas.

A própria ciência vem tentando responder a tais questões, como o fez Darwin, dentre outros cientistas.

No entanto, a melhor colocação a respeito desse tema é oriunda da filosofia grega e do pensamento de Sócrates: "O sábio é aquele que sabe que nada sabe".

Sim, hoje parte de nossos cientistas também faz afirmações nessa direção. Brian Swimme, em sua obra *O universo é um dra-*

gão verde, afirma que da matéria única, originária de um possível *Big Bang*, o aparecimento de um único girassol sem que existisse um princípio inteligente na matéria é um mistério. Assim como ele, Fritjof Capra também aponta para a existência da "ciência do mistério", no que diz respeito à origem da Vida.

Vemos, portanto, que na busca da solução desse "mistério", hoje aceito e assumido, ao menos por parte da humanidade, voltamo-nos para o "Conhece-te a ti mesmo" como *princípio* de toda a sabedoria.

Sim, se o ser humano não buscar primeiro em si mesmo o sentido e a origem da Vida, será difícil descobri-los "do lado de fora".

Há que se reconhecer o grande passo dado, de perdermos ao menos em parte o sentido de sermos "infalíveis" ou "donos da verdade".

A primeira constatação, portanto, para a busca do autoconhecimento é sabermos do desafio da nossa "ignorância", de realmente não sabermos, inclusive, "quem somos". Porém, segundo Sócrates, como já afirmado, o sábio é aquele que sabe que nada sabe, nem sequer quem ele é.

Assumir tal "ignorância" é realmente o primeiro passo para o autoconhecimento: a humildade.

Humildade

A origem da humildade é "húmus" – terra
Sinal de que aqui estamos
Então as dores, o sofrimento, a morte...
Saber que nessa "terra" viemos buscar o sentido de nossa origem

Sem humildade não teremos os pés no chão
Não poderemos acolher

Amar
Olhar verdadeiramente para o Outro...

Sem humildade seremos "espíritos desencarnados"
Estaremos "fora do lugar"...
É a origem dos fundamentalismos
Dos fanatismos...

A humildade nos torna verdadeiros instrumentos do Espírito
Entenderemos o porquê de nossos olhos
O porquê de nossos ouvidos...
Ouviremos e olharemos com os "olhos do espírito"...

A humildade nos torna "presentes" ao nosso corpo
Faz-nos também entender que o corpo é um presente para o
    Espírito crescer
Esse o Caminho da Humildade
Nessa misteriosa via para o "nascer de novo", o "nascer para
    o Espírito"...

Ou ainda:

Rosa Amarela

A Rosa estava linda...
Amarela. Toda aberta e com aquela leve umidade nas pétalas.
O perfume se irradiava por todo o ambiente.
A sala era lúgubre:
Móveis empilhados e poeira acumulada por toda a parte.
Teias de aranha espalhadas pelo ambiente...
Era escura e tinha janelas com vidros quebrados...
A porta esburacada e ratos correndo pelo chão ensebado...
Não obstante a rosa permanecia bela. Fresca e perfumada...

Irradiando naquele ambiente toda sua transparência...

Assim o ser humano:
Num mundo caótico e paradoxal está presente...
Em ambientes carregados de ódio e poluição tem de permanecer.
Permanecer humano...
Com aquela beleza peculiar de cada um
Capaz de emprestar a cada ambiente sua pessoalidade
Única. Rica e insubstituível.
Como para a rosa, não é o ambiente que altera o seu "ser"...
Não pode o ser humano negar suas virtualidades porque o que é exterior
   é "mau"...

A felicidade mesma do ser humano
Será sempre permitir a fluência de sua essência
Para seu entorno...
Claro que sendo o ser humano uma "Rosa" Consciente de que perfuma
   e alegra o seu meio ambiente
Haverá sempre a volta da Paz irradiada.
A rosa não o sente
Mas o ser humano o sente e abre o espaço para o Sentido...
Sim, é preciso o ser humano sentir o dom do gratuito
Que é o tornar-se capaz de se abrir para a Vida
Com todas as suas potencialidades
Menos para "ter" coisas, mas sim para estar realmente "Presente"
No coração do mundo.

A presença do Ser Humano é que dá sentido a tudo...
Esta presença deve ser gratuita, como o Dom da Vida o é...

3.
AS POSSIBILIDADES DE CONEXÕES:
O MISTÉRIO DO AMOR

Os seres vivos, particularmente os animais, de modo geral, vivem em grupos, bandos, manadas, atuando sempre pela força do instinto e buscando conexões entre eles.

Rupert Sheldrake, biólogo, estuda na sua obra *O renascimento da natureza* a existência de um "campo morfogenético" no qual a evolução decorrente do aprendizado de cada espécie é "arquivada" e os novos membros já nascem com tal aspecto "evolutivo" (p. 114-5).

Em outras palavras, há uma forma particular de conexão dentre as várias espécies animais, que permite seu desenvolvimento e aprendizado.

No caso dos seres humanos, tais conexões atingem níveis mais profundos, como veremos.

Fritjof Capra, já aqui referido, em sua obra *Ponto de mutação*, aponta para a percepção havida, no seio da física quântica, no sentido de que a explicação mais aceita para a existência de matéria sólida, em qualquer nível, é a "possibilidade de conexões" existente no interior dos átomos. Tais conexões é que darão origem aos diferentes aspectos assumidos pela matéria sólida.

Curiosamente, esse é o ponto crucial, a meu ver, do chamado "encontro da Ciência com a Fé", apontado como um fenômeno do século XX. Sim, de forma instigante, quando a ciência afirma que no coração da matéria existem possibilidades de conexões, surge uma incrível similitude com a afirmação das Tradições (especialmente o cristianismo), que apontam o Criador como uma realidade de Amor!

Sincronisticamente, o papa Bento XVI acaba de fazer publicar sua primeira Encíclica, denominada "Deus Caritas est". Ora, "Amor" é possibilidade de conexão! Assim, o ser humano, que segundo as Tradições seria a Imagem e Semelhança do Criador, teria em sua essência uma realidade de "Amor". Tal observação nos conduzirá à conclusão de que o mistério de nossa identidade nos aproxima da percepção de que ela seria uma "dimensão" de "Amor"!

Mais instigante será a observação de que "amar", além de ser uma realidade de "conexão", implicará sempre a necessidade de uma "liberdade" fundamental! Sim, ninguém poderá nos obrigar a "amar"! Um pai pode exigir "respeito" por parte de um filho, mas exigir "amor" é impossível. Amar será sempre um ato gratuito.

Vê-se assim, curiosamente, que essa "realidade" de "Amor", além de nos conduzir a uma perspectiva de "possibilidades de conexões", também deixa patente o mistério da "liberdade" presente em cada ser humano!

Observe-se, por outro lado, que nossa possibilidade de conexões não diz respeito apenas a "conectar o Outro", mas também a promover outras conexões: conectando os sons fazemos música; as palavras, um poema; as tintas, um quadro, e assim por diante.

No livro *Thomas Merton – O apóstolo da compaixão*, J. C. Ismael, citando Mônica Furlong, biógrafa de Merton, afirma: "o que Blake e Maritain ensinaram a Merton foi que a arte é parte da compreensão mística e contemplativa do mundo, e que as paixões humanas têm de se transfigurar pelo amor..." (p. 27-8).

Ou seja, a arte é o Caminho profundo para que, por meio de "conexões", o ser humano produza a Beleza, sendo o Amor o condutor desse processo. Que outro ser vivo consegue tal nível de conexões?

Vê-se por essa reflexão um ponto de partida para a investigação do "quem somos nós"... Seres capazes de amor... de arte... de beleza...

Possibilidades de Conexões

No coração da Matéria
O Vazio
No movimento das partículas
Possibilidades de Conexões...

É o que diz a ciência:
No âmago da matéria: conexões
É o que dizem as Tradições:
No âmago da Vida Humana: Amor

Inconscientemente a matéria se conecta
Conscientemente o ser humano "pode" conectar (ou não...)
Pode Amar...
A Si mesmo e ao Outro...

Mistério profundo
De Criação e Destruição
De Vida e Morte
De Amor e Ódio...

Conectar os sons é fazer música
As tintas é fazer um quadro
A argila é fazer uma peça de arte
O Outro é a Compaixão...

Mistério de um querer verdadeiro
De liberdade

De gratuidade
Do transformar o Caos

Segundo as Tradições a Palavra, um dia, assim o fez...
E surgiu a Vida
E surgiu também a Vida que "sabe que Vive"
Que também pode a Palavra...

Desvelar tal Mistério
É a magia do Ser Humano
Magia da permanente transformação
Do caos em Vida, em Amor...

(Transcrito do livro Desafios na formação do educador.)

Ou ainda:

No Princípio era o Verbo...

A Palavra foi pronunciada
Som que ecoa no tempo
Constrói no próprio ato de sua pronúncia...
Pronunciá-la é Amar

Assim é que "no princípio era o Verbo"...
Era o Amor... é o Amor

Criar o Amor que se pronuncia
"À Sua Semelhança"
É criar "outro princípio"...
Que deverá aprender a Amar
Deverá se conhecer como Amor

Aquele que não se vê como Amor
Que não sabe que contém o "Princípio"...

É *"ignorante"...*
"Não sabe o que faz"...

"Pai, perdoai. Eles não sabem o que fazem"...
É essa "ignorância"
Que é digna de perdão
De compaixão

Sair dessa "ignorância"
É "conhecer-se" como "Amor"...
É saber da liberdade inerente ao "Amor"
É saber do "Princípio" gerador de "mais Amor"...
É nascer de novo...

4.
A QUESTÃO DO TEMPO

O autoconhecimento terá como questão seguinte a instigante problemática do tempo. Todos os seres vivos, inclusive os humanos, têm uma dimensão de tempo marcada pelo universo da matéria. Sim, há um "tempo" maior ou menor de duração da "conexão" que deu origem a um "corpo". Hoje, um ser humano "vive" em seu corpo cerca de 70 anos.

A filosofia e as Tradições trazem sempre reflexões sobre a questão da transcendência, que em relação ao "tempo" significaria o "eterno presente".

Não se trata de um tema novo. Segundo o Evangelho, Jesus interroga seus discípulos dizendo: "Como é que vocês não conseguem interpretar o tempo presente?" (Lucas 12,56).

No Oriente, Krishnamurti, expressando uma linha de pensamento peculiar das Tradições hindus, diz: "Se não houvesse amanhã, somente o agora, o medo enquanto movimento de pensamento terminaria" (Mary Lutyens, *Vida e morte de Krishnamurti*, p. 204).

Aldous Huxley em sua *Filosofia perene* assim se expressa: "O momento presente é a única abertura através da qual a alma pode passar do tempo para a eternidade, através da qual a graça pode passar da eternidade para a alma, e através da qual a caridade pode passar de uma alma para outra alma no tempo" (p. 205).

Não foram somente os místicos ou filósofos os que se voltaram para a questão do "tempo presente". O cientista Ken Wilber, em sua obra *Espectro da consciência*, afirma: "... nesse sentido, a alegria é o 'eterno deleite' de Blake, o deleite intemporal, o deleite que não conhece futuro e, por conseguinte, o deleite que exige a aceitação da morte. O ego, porém, não aceita a morte, por esse motivo não encontra a felicidade" (p. 75).

Nesse momento, deparamos com o imenso desafio implicado no autoconhecimento: o ser humano é um ser que transcende o tempo?

Na verdade, sabemos que o "tempo" do relógio é fruto de uma convenção, pois o planeta Terra, onde habitamos, gira em torno do Sol sem nenhuma "preocupação" com o "tempo"... É sempre "agora"...

Os demais seres vivos nem sequer têm tal preocupação, pois "vivem" o tempo orgânico peculiar à sua constituição física.

Já os humanos, desde épocas remotas, refletem sobre o tema. Na Grécia Clássica, já se sabia da existência de um tempo denominado *kairós*, o "tempo absoluto", o que denominei de "eterno agora".

Seguindo essa linha de raciocínio, na medida em que o "Amor" é a "essência" do ser humano, como já antes situado, não é difícil perceber que tal "essência" ultrapassa os limites físicos ou orgânicos.

Um dos primeiros cientistas contemporâneos que tomaram consciência dessa realidade foi Carl Gustav Jung, que definiu a "essência" do ser humano como *self*.

Jung dizia que o ser humano desenvolve um "ego" profundamente vinculado ao universo físico e um *self* transcendente, ou seja, "além" do tempo do "relógio".

Para ele, o autoconhecimento era um processo de "individuação", que diz respeito à integração do ego com o *self*.

Assim, vemos que o Caminho para o autoconhecimento passa pela consciência profunda desse "si mesmo" ou *self*.

Na obra de Edward Hoffman, já citada anteriormente, há a seguinte transcrição oriunda de Jung:

> Se considerarmos a psique em sua totalidade, chegaremos à conclusão de que é como se a psique inconsciente existisse em um

continuum de espaço-tempo, no qual o tempo não é mais o tempo e o espaço não é mais o espaço. De acordo com isso a causalidade também cessa. A física atingiu essa mesma fronteira (2005, p. 203).

Sim, podemos hoje constatar que, com os avanços da ciência no século XX, a percepção da transcendência é cada vez menos uma questão de "crença", tornando-se um "conhecimento": para nós o "autoconhecimento".

Metaforicamente podemos dizer que, à semelhança de um artista que dá expressão a um quadro, assim também há um artista "interior", que pode elaborar a "obra-prima" de nós mesmos. Sim, de tela, moldura, tintas e pincéis surgem uma *Mona Lisa* de Leonardo da Vinci ou os girassóis de Van Gogh. Da mesma forma, tomando ossos, músculos, sangue e tecidos, nosso "artista interior" cria o "ser singular" que cada um de nós é. O desafio é tomar consciência desse artista...

Viver a "eternidade do agora" é estabelecer o vínculo com tal artista, o que nos trará a plenitude do sentido da existência.

De forma poética, já me expressei em um de meus livros, nos seguintes termos:

O Agora

Despertar no presente é estar vivo
É sair das culpas e angústias de ontem
Ou dos sonhos e ansiedade de amanhã
É descobrir o Agora

Descobrir o Agora é também "descobrir-se"
Saber-se "quem somos"
"De onde viemos"
"Para onde vamos"

Perceber a profundidade do momento presente
É deixar que "os mortos enterrem seus mortos"
É desvelar a fonte única da alegria do "mais dentro"
É mergulhar no sentido lúdico da Vida

Assim, conhecer-se profundamente
É saber-se um com a Vida
É vislumbrar a realidade do Amor
É mergulhar na Eternidade do Agora.

(Transcrito do livro Pedagogia da transgressão.)

Ou ainda:

O Despertar

A criança vai percebendo a Luz
Descobre que a Luz lhe traz as formas
As cores
O movimento

Há um acolher primeiro de toda a forma
Um tocar sutil
Um prazer oriundo do contato
O desvelar da asa da borboleta
Das pedras coloridas

O olhar da criança vai se maravilhando
Pasmando com uma realidade sempre renovada
Com um criar fruto da percepção do eterno presente

É sempre um despertar para mais Vida
Mais Vida que jorra do Eterno Presente

Do Ver em profundidade
Do ouvir o silêncio

O Homem adulto precisa retornar a essa Fonte
Precisa retornar aos "dez anos"...
Recuperar a visão e a audição
Para o fecundo mergulho no Presente!

As transformações conscientes então ocorrem...
A construção do Homem Espiritual
Como música infinda
Aí se dará...

A Beleza e a Alegria serão os primeiros frutos desse Homem que desperta
Toda a energia transformada conscientemente resulta em Beleza
Toda Beleza gerada resulta em Alegria
Assim será o fruto daquele que "sai da caverna"...

                (Transcrito do livro Renascimento do sagrado na educação.)

5.
A QUESTÃO DAS PERMANENTES TRANSFORMAÇÕES

Percorrer esse Caminho de autodescoberta implicará a percepção de que há uma permanente transformação em todo o Universo.

Heráclito, na Grécia Antiga, já afirmava: "Nunca se atravessa um mesmo rio duas vezes, pois a água já não será a mesma, nem o homem que o atravessa será o mesmo...".

Sim, a energia fundamental de toda a Vida sofre um movimento de transformação permanente, como já constataram os cientistas, de forma particular os físicos, como apontei no capítulo três.

Assim é que os seres humanos, no que diz respeito a seu corpo físico, especificamente, estão também sujeitos a tais transformações inexoráveis, que vão deixando suas marcas no transcorrer do tempo. Esse é o tempo que os gregos denominavam *chronos*, o tempo do relógio. Os gregos também conheciam outro tempo – o tempo absoluto – chamado *kairós*. Trata-se do "tempo da consciência".

A grande questão que se coloca para o ser humano é a existência de outro nível de transformações que surge de sua ação consciente. Sua ação consciente se dará em outra dimensão temporal e implicará um nível de transformações ainda pouco percebidas e fundamentais no desenvolvimento do autoconhecimento.

Poderemos constatar que o ser humano, diferentemente de outros seres vivos, pode desenvolver um poder de "autotransformação" e também de transformação consciente de seu entorno! De fato, inconscientemente ocorrem várias transformações em nós mesmos, além de várias mudanças em nosso entorno, por exemplo, a poluição ambiental.

No primeiro caso, um dos exemplos mais fortes é o desenvolvimento de doenças, hoje reconhecidas pela própria medicina como psicossomáticas. Tais doenças se desenvolvem sem que tomemos consciência das maléficas transformações em curso.

Em geral, as pessoas buscam medicamentos para "curar" tais estados doentios. Porém, quando o ser humano "despertar" para o nível de consciência acima referido, ensejará uma atuação sobre seu corpo físico, que possibilitará um processo de "autocura", hoje presente em várias linhas alternativas de medicina. São atuações relacionadas à busca do sentido da doença e da percepção de nossa capacidade consciente de atuar sobre a cura. Assim, conscientemente, poderemos alterar o nível das transformações presentes, seja por meio de movimentos respiratórios, seja por outros exercícios, como a meditação, sem prejudicar as medicações, que atuarão com outra eficácia, como já constatado.

A questão fundamental aqui é compreender que nossa consciência transcende o tempo do relógio, atuando no nível físico, desde que se faça "presente".

É aqui que se coloca a importância do nível de atenção ao "eterno agora", ou aquilo que as Tradições consideravam o "despertar" do ser humano.

Por falta desse despertar é que vemos tantas pessoas prisioneiras do tempo do relógio, o que na prática significa que vivem presas a rotinas e mesmices. É como diz a música de Chico Buarque (Cotidiano): "Todo dia ela faz tudo sempre igual...".

Da mesma maneira, poderemos atuar conscientemente em nosso entorno, agindo ecologicamente: reflorestando a Terra, criando um jardim ou protegendo animais em extinção, ou ainda prevenindo a falta de água, com sua economia, e evitando poluir o meio ambiente, com ações como fumar ou jogar lixo nas ruas... Todo esse movimento poderá ocorrer desde que estejamos conscientes do momento presente e despertos para a profundidade de nossa ação livre.

Assim, podemos constatar que o ser humano não só está sujeito a transformações inexoráveis, que, em geral, ocorrem de modo inconsciente, como já afirmado, como também poderá operar, conscientemente, em outros níveis de transformações. Em meu livro *O renascimento do sagrado na educação*, tratei longamente dessa questão das transformações, procurando apontar para a importância da *atenção* ao presente, para que algumas das transformações inconscientes não ocorram, especialmente aquelas que, na nossa "inconsciência", são geradoras de "doenças", como já assinalado.

O desafio do ser humano de desenvolver e ampliar seu nível de conscientização é hoje objeto de alguns cientistas e será tema de nossa próxima reflexão.

Transformações

O momento de transformação é mágico
Há nele uma percepção profunda do momento presente
Há um mergulho no cerne da existência
Há sincronicidade, numa grande harmonia de "ser"

É como aquele exato momento em que a lagarta se transforma em borboleta
E voa, sem nunca ter voado
E é bela, de uma beleza nunca percebida antes
E é borboleta, depois de um tempo de ser lagarta

A transformação no homem é como um momento musical
Uma fusão de cores
Uma convergência de energia
Uma percepção do "todo"...

É a sincronicidade
A magia da mutação

O surgimento do "novo"
O desvelamento de uma face antes escondida

Assim o Homem vai se transformando
E crescendo
E evoluindo
Nas suas múltiplas possibilidades de "virar borboleta"...

Buscar a sintonia com a mudança que se aproxima
Ganhar consciência da nova transformação
É fazer história
É estar presente no coração do mundo

Transformando-se a si mesmo
Deixando seu sinal de amor naquele que passa e sente a mudança
Deixando seu traço no ambiente que se renova
Deixando seu rastro no caminho percorrido, como sinal de esperança.

(Transcrito dos livros Pedagogia da transgressão e Histórias que educam.)

Ou ainda:

Rupturas

Romper a placenta
  Para nascer
Romper o tédio
  Para criar
Romper o egoísmo
  Para amar
Romper o casulo
  Para voar

A vida é uma constante ruptura
   Para não "morrermos"
Na rotina
Na massificação
Na indiferença

Aprender a romper
É sofrer rupturas
É integrar a dor
É curar feridas

Para então
Descobrir a alegria
O ritmo eterno

A Paz

6.
A QUESTÃO DA CONSCIENTIZAÇÃO

O século XX foi marcado pela ênfase em uma ação, chamada "conscientização". O primeiro a utilizar uma expressão análoga foi Teilhard de Chardin, que, em sua famosa obra *O fenômeno humano*, utiliza o termo "conscencialização" para explicar o "momento" da vida humana naquele século.

Dizia Chardin, na obra referida: "Depois de se haver deixado prender excessivamente, até cair na ilusão, pelos encantos da Análise, o pensamento moderno habitua-se de novo a encarar enfim a função evolutivamente criadora da síntese" (p. 300).

Ainda segundo Chardin, essa síntese seria um ponto "ômega", que significaria a plenitude do potencial do ser humano, e para chegar a tal ponto ocorria a denominada "conscencialização". Vejo nessas constatações a proximidade da realização do autoconhecimento. Sim, seja a expressão "ponto ômega" significando "ponto de chegada", seja o termo "conscencialização", acabamos percebendo o fim de uma jornada, ou ao menos de uma etapa da vida humana.

Sou mais partidário do "fim de uma época".

Entendo que antes do ano zero de nossa história contemporânea a humanidade viveu um período que poderíamos denominar de "infância da humanidade". Quem bem situou tal fase foi um dos personagens fundamentais, que marcaram a razão de ser do ano zero: Jesus Cristo. Ele afirmou, no capítulo V do Evangelho de São Mateus, que os antigos diziam "olho por olho dente por dente", mas Jesus disse "amai os vossos inimigos".

Tal afirmação implica uma profunda mudança de perspectiva naquele momento. O "olho por olho" que fazia parte da antiga Tradição era uma visão tipicamente "infantil" do ser humano, que queria fazer ao Outro aquilo que lhe fizeram. Ora, a idéia de "amar o inimigo" era uma fantástica visão e, naquele momento, seguramente utópica.

Edward Hoffmann, na obra já aqui citada, assim transcreve a afirmação de Jung:

> A doença da dissociação é no nosso mundo ao mesmo tempo um processo de recuperação, ou antes, o clímax de um período de gravidez que anuncia as contrações do nascimento. Uma época de dissociação igual a que prevaleceu durante o Império Romano é simultaneamente uma *época de renascimento* [grifo nosso]. Não é sem razão que estabelecemos a data de nossa era a partir da época de Augusto, pois aquela época viu o nascimento da figura simbólica de Cristo, o qual foi invocado pelos primitivos cristãos como o Peixe, o Legislador do signo de Peixes que havia apenas começado. Ele se tornou o espírito regulamentador dos milênios seguintes. Como professor da sabedoria da Babilônia, Oannes (Cristo) levantou-se do mar, da escuridão primitiva, trazendo consigo o fim de uma época do mundo. É verdade que ele disse "eu não vim trazer a paz, mas uma espada". Porém o que traz a divisão em última análise cria a união. Portanto seus ensinamentos foram de amor que une tudo (p. 228-9).

Vê-se que Jung também percebeu o fim de uma época no ano zero e curiosamente colocou a questão da "espada" como sinal trazido por Jesus. Na verdade, seguindo a linha de nossas reflexões, podemos verificar que a humanidade percorreu um longo caminho do ano zero até 1945, chamado por Chardin de "caminho da análise". Hoje, quando percebemos que o "Amor" é o âmago de nossa "essência", faz absoluto sentido "amar o inimigo". Essa é a postura da "rosa amarela" mencionada no poema aqui transcrito. Sim, se nos "conscientizarmos" que somos um mistério de "Amor", *amar* será o sentido profundo de nossa vida, não importa a quem.

Por que mencionei o ano de 1945 como o fim de uma época, tal como apontado por Chardin? Porque o ser humano sai da infância e inicia sua adolescência. É o período da presença da "espada", como lembrado por Jung, do "meu" é melhor que o "seu". Minha religião, minha etnia, meu país e assim por diante. A culminância dessa adolescência vai ocorrer na primeira metade do século XX com o advento do nazismo, do fascismo, do stalinismo, do peronismo, sempre com a presença de ditadores, que se anunciavam (a si e às suas ideologias) como os "maiores e melhores". Assim também se comportaram até o século XX as religiões. Ainda recentemente assistimos à luta entre católicos e protestantes na Irlanda, dentre outros conflitos religiosos.

Pois bem, em 1945, com o final da Segunda Guerra Mundial, a humanidade adolescente percebeu que poderia destruir o planeta com a bomba atômica!

Curiosa e sincronisticamente, nesse mesmo ano surgem, no deserto de Nag-Hammadi, no Egito, documentos que datam aproximadamente do ano zero de nossa época e retomam as mensagens vindas da Tradição judaico-cristã!

Abordarei adiante a questão da "sincronicidade", termo utilizado por Jung para indicar acontecimentos que ocorrem independentemente das leis de "causa e efeito".

Colocadas as questões nesses termos podemos dizer que a partir de 1945 teve início a fase da maturidade do ser humano. Estou afirmando que foi apenas o *início*!

Na verdade, vamos constatar que a partir de 1945 vão se sucedendo acontecimentos que marcam essa "nova época" da humanidade ou o seu "ponto ômega", anunciado pelo profeta Chardin! Dentre outros acontecimentos poderíamos anotar os seguintes:

- surgimento de uma consciência ecológica;
- início de uma atividade ecumênica, buscando integração religiosa (o papa João XXIII teve significativa participação nessa iniciativa);
- criação de organizações não-governamentais buscando defender direitos humanos e ecológicos (observar que as ONGs "dispensam" o "comando" de um "chefe autoritário");
- ação desenvolvida pela ONU, com seus desdobramentos, buscando uma ação de justiça no planeta;
- estreitamento do vínculo entre as Nações, por exemplo, a criação da Comunidade Européia;
- a primeira Encíclica do papa Bento XVI, "Deus é Amor"!

Enfim, observamos uma mudança de consciência na humanidade, que vem ocorrendo nas várias áreas de conhecimento. Por exemplo, na área da Educação, um brasileiro – Paulo Freire – utilizou a expressão "conscientização" para anunciar um significativo avanço na arte de Educar. A obra de Freire, hoje espalhada pelo mundo, afirma que antes de alfabetizar devemos conscientizar o aluno! Nesse momento fica evidente a profunda ligação da questão do autoconhecimento com a Educação. Retomarei adiante a participação de Freire e a importância do autoconhecimento na formação do Educador. Mais ainda, procurarei refletir sobre a participação do Brasil nessa linha de reflexão.

Nascer da Consciência

Há um imenso universo à nossa volta
Luminoso
Infinito
Repleto de formas e sons

Há um microcosmo também infinito à nossa volta
Das belas margaridas no campo
Às incríveis abelhas em suas colméias
Ao prodigioso mundo dos microorganismos

O Homem pensa...
Uma existência pequena
Limitada
Inexoravelmente mortal...

Não percebeu o Homem a Luz de sua consciência...
A Luz que brilha nas trevas de seu pensamento
Que comunga com a energia maior do universo
Que permite profundas transformações...

O Nascer dessa consciência
É a superação do dualismo
Da ciência do bem e do mal
Da aventura plena da liberdade para a qual foi criado

O nascimento para esse universo infinito
Significa a percepção e a descoberta do mistério da Luz
Mistério sutil
Mistério de Amor

(Transcrito do livro Pedagogia da transgressão.)

Ou ainda:

Conscientização

O tempo passou
O tempo de relógio...
Do crescimento biológico

No mais dentro, onde o tempo "não passa"
Lições foram aprendidas...

Lições e paciência, com o tempo do relógio...
Lições de Amor, em relação àqueles que atravessaram esse tempo...
Descoberta profunda "daquele" que vê esse tempo passar...
Alegria e beleza são as marcas dessa "descoberta".

Dor, tristeza e sofrimento
Resultam do "sono profundo"
"Daquele" que existe para aprender infinitamente...
Porém, impossível "aprender" sem "acordar"...

Acordar para o eterno presente é a tarefa primordial do aprendizado
"Acordar", para sair da "caverna", como diria Platão...
Acordar para a sacralidade do "si mesmo"
Acordar para saber do mistério e do significado da Vida

A conscientização, pois, deve ser o momento
Da descoberta que "temos olhos para ver"
E "ouvidos para ouvir"...

Do "acordar da bela adormecida"...
Do momento do Caminhar para o autoconhecimento...

7.
A QUESTÃO DA SINCRONICIDADE

Conforme a linha de raciocínio que viemos desenvolvendo, a situação que Jung denominava "sincronicidade" significa uma superação da lei de causa e efeito: os acontecimentos transcendem a simples causalidade.

Jean Shinoda Bolen, em sua obra *A sincronicidade e o Tao*, assim coloca a questão:

> "Quando o discípulo está pronto o mestre aparece." Esse antigo ditado chinês descreve uma idéia básica do pensamento oriental: a conexão entre a psique humana e as ocorrências exteriores, entre o mundo interior e o exterior. A sincronicidade, definida por C. G. Jung como coincidência significativa, é uma maneira como essa conexão é expressa no nosso cotidiano. A mente oriental considerou como realidade essencial a conexão subjacente entre nós e os outros, entre nós e o universo, e a denominou Tao (p. 11).

Pessoalmente já vivi situações de extrema clareza, que significaram a presença dessa "sincronicidade". No livro *Histórias que educam*, na página 68, descrevi a vivência ocorrida em uma prisão, nos anos 1970, que transformou meu percurso de vida.

Ainda como fenômeno de coincidência significativa, apontei na página 84 de meu outro livro, *O renascimento do sagrado na educação*, uma situação de sala de aula, vivida por uma aluna minha, que revelou a completa "alteração" de uma aula "preparada", em razão de acontecimento fortuito ocorrido em classe.

Na verdade, um educador que esteja "atento" ou "acordado" para a plenitude de si mesmo jamais deixará escapar acontecimentos e situações que permitam dar um rumo até então imprevisível à sua aula.

A sincronicidade é, na verdade, o resultado da percepção da profunda interligação de todo o universo, não só da matéria física, como já anotado nesta reflexão, mas também de nossa psique, de nosso *self*, com toda a realidade. Se tivermos olhos e ouvidos para ver e ouvir, perceberemos sempre a magia do sentido e do significado da existência, tanto no micro, como no macrocosmo.

Essa percepção de acontecimentos que ultrapassam os limites da causalidade revela a magia da permanente transformação a que já me referi e dos *sinais* que estão sempre presentes e freqüentemente nos escapam, dada nossa prisão de pura racionalidade, da qual a lei de causa e efeito é filha única.

Claro que existe uma causalidade inexorável em todo o universo físico e psíquico. Uma semente de carvalho, se bem cuidada, gerará sempre um carvalho. Assim também acontece em nossas ações cotidianas, em que atuamos marcados por ansiedades, paixões, medos e outras emoções. Sempre deixaremos os sinais de nossa "passagem".

O ponto para o qual estou chamando a atenção é que, além dessa causalidade, ocorrem fenômenos que "escapam" dessa "causalidade".

Normalmente, as pessoas chamam tais fenômenos de "acaso", "sorte ou azar" e assim por diante.

Nessa nossa reflexão chamei a atenção para uma macrossincronicidade, que foi o fenômeno do acontecimento concomitante das explosões da bomba atômica em 1945 e o surgimento, no mesmo ano, dos documentos de Nag Hamadi, já referidos.

A percepção do fenômeno da sincronicidade dependerá sempre de um mergulho, crescentemente mais profundo, em nosso inconsciente. Em sua obra *Memórias, sonhos e reflexões*, assim Jung coloca a questão: "Nossa consciência não se cria a si mesma, mas emana de profundezas desconhecidas. Na infância, desperta gradualmente e, ao longo da vida, desperta cada manhã, saindo das profundezas do sono, de um estado de inconsciência. É como uma criança nascendo diariamente do seio materno" (p. 353).

Ou ainda: "O inconsciente nos dá uma oportunidade, pelas comunicações e alusões metafóricas que oferece. É também capaz de comunicar-nos aquilo que, pela lógica, não podemos saber. Pensemos nos fenômenos de sincronicidade, nos sonhos premonitórios e nos pressentimentos!" (p. 262).

Vemos assim a indicação de que a busca do conhecimento para o ser humano não diz respeito apenas à procura do "universo exterior", à nossa volta. É preciso também voltar-se à profundidade do si mesmo, àquilo que à falta de outro termo Jung chamava de inconsciente.

De forma poética podemos dizer:

Sincronicidade

Transformar
Perceber as mutações contínuas
Na história
No interior das pessoas

A sabedoria maior será sempre
Sentir as próprias transformações
Saber da precariedade das "verdades oficiais"...
E mesmo das nossas "próprias verdades"...

A Sincronicidade surge quando estamos prontos para mudar...
Para ouvir cada um...
Para buscar a centelha de luz
Onde ela se encontra...

Nunca se tornar "vítima"...
Dos poderosos

Do "sistema"...
Da história

Aprender a perceber o fundamental
Tomar o fio dos acontecimentos
Com sua continuidade no tempo
Percebendo a bela trama que vai se desenhando...

Cumprir a sua parte
Assumindo a sua mudança
Sabendo que o "hoje" não é o "ontem" nem será o "amanhã"...
Mergulhar fundo no momento presente, que tudo contém...

Não se apossar daquilo que passa
A vida precisa fluir
Como tudo que é vivo
Não podemos detê-la, nem nos deter...

Participar de tudo
Nada tendo
Ser parte da música maior
Sabendo que ninguém se apossa das notas musicais...

Saber que a história real
É diferente das "estórias oficiais"...
Que a vida pessoal
Tem seu espaço na verdadeira história

Saber tudo isso é estar plenamente vivo
É ter consciência do ser
É ter a certeza que o "fazer" não nos esgota
Que não somos máquinas de produção

Tudo isso de forma apaixonada
Encantada mesmo

Como o sol que continua brilhando
Ou as flores que continuam nascendo

Assim vivemos sincronisticamente
Com a beleza
Com a alegria
Com o sentido e a significação de cada instante...

Miticamente, Fernando Pessoa, em seu poema "Eros e Psique", situa uma seqüência, que não só envolve a "sincronicidade", mas especialmente o autoconhecimento:

Conta a lenda que dormia
Uma Princesa encantada
A quem só despertaria
Um Infante, que viria
De além do muro da estrada.

Ele tinha que, tentado,
Vencer o mal e o bem,
Antes que, já libertado,
Deixasse o caminho errado
Por o que à Princesa vem.

A Princesa Adormecida,
Se espera, dormindo espera,
Sonha em morte a sua vida,
E orna-lhe a fronte esquecida,
Verde, uma grinalda de hera.

Longe o Infante, esforçado,
Sem saber que intuito tem,
Rompe o caminho fadado,

Ele dela é ignorado,
Ela para ele é ninguém.

Mas cada um cumpre o Destino
Ela dormindo encantada,
Ele buscando-a sem tino
Pelo processo divino
Que faz existir a estrada.

E, se bem que seja obscuro
Tudo pela estrada fora,
E falso, ele vem seguro,
E vencendo estrada e muro,
Chega onde em sono ela mora,

E, inda tonto do que houvera,
À cabeça, em maresia,
Ergue a mão, e encontra hera,
E vê que ele mesmo era
A Princesa que dormia.

(Fonte: <http://www.fpessoa.com.ar/poesias.asp?Poesia=035>. Acesso em 23 jan. 2007.)

8.
A FORMAÇÃO DO EDUCADOR

Depois do percurso até aqui, podemos constatar a importância para a formação de um Educador em percorrer tal Caminho para o autoconhecimento.

Sim, se isso não ocorre, teremos, seguramente, "cegos conduzindo cegos"...

Uma pessoa vive até a adolescência a fase denominada "infância", que pode ser comparada ao mito bíblico do "paraíso". A inocência apontada como presente no paraíso é a inocência que uma criança saudavelmente educada viverá até sua adolescência.

Lamentavelmente, a criança, hoje, por motivos ideológicos, religiosos, ou econômicos, vê-se "despojada" de sua infância, tornando-se um "adulto" precoce e candidato a profundo sofrimento. Aí estão presentes à nossa volta a depressão, a bulimia ou a anorexia.

Educar vem do latim *educare* – tirar de dentro –, e se o educador estiver tão-somente preocupado com o universo exterior a criança irá crescentemente perdendo o Caminho em direção a si mesma. Claro que somente na adolescência torna-se possível o desenvolvimento de um autoconhecimento, pois antes disso é inviável o surgimento da consciência profunda de si mesmo.

Por isso, nas culturas mais antigas havia o chamado "rito de passagem" para introduzir os jovens no mundo adulto. No cristianismo, que é a Tradição que nos é mais próxima, o sacramento da crisma significava esse "rito de passagem". Esse sentido perdeu-se pela ausência do sagrado em nossa cultura. Este foi o tema de meu livro O *renascimento do sagrado na educação*.

Hoje o "rito de passagem" deverá ser assumido pelo Educador que "acorda" para a dimensão plena do ser humano.

Esse "acordar" do Educador tem, a meu ver, uma conotação curiosa, que encontra eco na Tradição cristã, quando Jesus

Cristo diz que se não formos como crianças de 10 anos não entraremos no Reino. Essa metáfora é extremamente rica e diz respeito a uma "volta à inocência" ou "volta ao Paraíso", uma vez percorrido o Caminho do autoconhecimento.

Sim, a inocência de uma criança, sua beleza, alegria e capacidade de amar indicam as "sementes" a serem desabrochadas no ser humano adulto! Aquilo que ocorre com as sementes na natureza repete-se na construção de um ser humano.

As estratégias para desenvolver um *rito de passagem* são variadas e já as abordei anteriormente nas obras que publiquei. Trarei aqui apenas uma proposta, que não só pode atuar como o desejado "rito de passagem", mas também servirá para um trabalho contínuo, de aprofundamento do resgate da personalidade integral dos alunos.

Trata-se da realização de seminários pelos alunos, em que o tema deverá ser escolhido em função da idade, mas as estratégias poderão ser as mesmas. Digamos que a turma seja de adolescentes e o tema então escolhido pelo Educador seja o da sexualidade.

A proposta terá início com a divisão do tema em quatro aspectos, que visam à completude da personalidade: um grupo pesquisará a sexualidade no plano físico; um segundo grupo, no plano emocional; um terceiro, no plano racional e, finalmente, um quarto grupo, no plano espiritual. Nesse momento surgirá a primeira dúvida dos alunos: pesquisar no plano espiritual? A dúvida diz respeito ao fato de que a espiritualidade está sempre ligada ao tema da religiosidade. Caberá então ao Educador uma primeira iniciação dirigida aos jovens, dizendo que a espiritualidade é uma dimensão do ser humano, que existe independentemente de suas crenças religiosas. Mesmo os que não crêem também são portadores de tal dimensão.

Nesse momento, o Educador poderá dizer que a dimensão espiritual do ser humano é aquela capaz de inspirar a beleza, a alegria e o amor. Ou seja, no caso da sexualidade, tentará se buscar o aspecto da existência, como capaz de revelar a beleza, a alegria ou o amor, fruto da inspiração espiritual.

Teremos, então, um segundo passo fundamental em tal atividade: o Educador dirá aos alunos que não quer nada por escrito! O resultado das pesquisas realizadas deverá ser apresentado em uma dinâmica, envolvendo uma dramatização, com música, desenhos e o uso do espaço da sala de aula de forma adequada ao tema. Finalmente, a apresentação deverá envolver toda a classe em uma dinâmica final.

Na verdade, o resultado dessa proposta é surpreendente. Sim, os alunos, ao apresentar o trabalho, tornar-se-ão conscientes, muitos pela primeira vez, da completude do ser humano, pois o corpo físico estará presente, eis que, em uma dramatização, é inevitável sua "presença". O corpo emocional, por igual, dado que, com a participação do corpo físico, a emoção fluirá naturalmente. O corpo racional também, pois o trabalho teve de ser planejado, como também já ocorreu toda a atividade anterior de pesquisa. Finalmente, o corpo espiritual se apresentará, deixando evidente o surgimento da alegria, da beleza e do amor (a conexão com a classe) em todo o trabalho.

Tal atividade ensejará uma reflexão com a classe, que desvelará todas as dimensões presentes em um ser humano e, com o acréscimo do tema escolhido, permitirá um aprofundamento indispensável, possibilitando o surgimento de um "rito de passagem", se a classe for composta de adolescentes, tratando do tema da sexualidade, como sugerido.

Para que fique mais clara a colocação feita, transcrevo alguns trechos de avaliações individuais, por escrito, feitas pelos alunos, após os seminários:

> Difícil escolher "o melhor" seminário, pois eles se completam, de alguma forma se encaixam, cada um teve seu "clima" e um pequeno detalhe que mexeu com cada um de nós. Particularmente dois me tocaram muito, o meu e do meu grupo e o do grupo da P., que falava sobre o brincar, o viver, algo com passado, presente... aquele seminário simplesmente me abalou muito, pois é sempre difícil olhar para nós mesmos, e para mim falar da infância é muito doloroso... As brincadeiras foram ótimas, a proposta de ação maravilhosa e o resultado de tudo foi simplesmente lindo; o grupo teve uma sensibilidade incrível, e, como nós temos um vínculo muito grande na sala, isso deixa tudo com um toque especial. A proposta do grupo da P. e a do meu grupo foram muito parecidas no sentido da sensibilização; chega a ser impressionante a necessidade que temos de "falar" de nós mesmos. [...]

> Não teria assimilado muitas coisas importantes se ocorresse de outra maneira; a importância do "olhar", do "brincar", do "sentir", do "educar"... Os seminários me trouxeram reflexões profundas e momentos de muita sensibilidade; foi um aprendizado com cada um da sala, cada grupo. Cada tema abordado abria um leque de reflexões que não tinham fim, posso dizer que a cada quinta-feira eu saía da faculdade outra pessoa (I. O. R. – Pedagogia/PUC).

> Pelos seminários, a vivência se fez em classe, transcendendo qualquer teoria livresca, morta em palavras. A descoberta de novas maneiras de conceber "Educação", o encanto com o novo, sacudiram o meu casulo (que ainda resiste...), como uma criança teimosa que insiste em cutucá-lo com um graveto (H. E. – Pedagogia/PUC).

> Sempre saio de suas aulas com uma leveza, uma vontade de amar, viver. E acho que foram elas que em muitas ocasiões me inspiraram

a dizer o quanto amo os meus pais, meu namorado, meus irmãos, e senti uma felicidade imensa em contar a todos eles o quão importante cada um é para mim, pois encontrei em suas palavras o que precisava ouvir para que pudesse de alguma forma despertar o ser que sempre teimei em esconder dentro de mim. É engraçado, mas muitas vezes saí de sua aula, corri até o computador e escrevi longas, apaixonadas e sinceras cartas que diziam coisas que em momento algum de minha vida achei que conseguiria transcrever, mas o fiz com total naturalidade que me surpreendia e fazia despertar uma vontade muito grande de lhe contar isso (S. R. M. – Pedagogia/PUC).

Gosto muito de ouvir você falando de espiritualidade e acredito que este seria um ótimo caminho para acabar com a "frieza" do mundo em que estamos vivendo. Esta é outra dificuldade para os educadores: encontrar e passar essa espiritualidade. Ninguém jamais me ensinou ou me apresentou meios de me autoconhecer ou de encontrar minha espiritualidade; apenas me ensinaram religião e hoje descobri que a religião cria barreiras e gera guerras entre irmãos. Sou uma felizarda de estar nesse curso de Pedagogia, que me traz muitas alegrias. Posso dizer que sou uma nova B., que consegue encontrar a felicidade em um simples olhar ou em uma pequena conversa; hoje falo o que quero, o que me faz feliz. Gosto de cozinhar, de ir à casa de minha avó, gosto de conversar com meus amigos, não gosto de ficar horas na internet, apesar de muitos me questionarem: "Por que você não entra na sala de bate-papo?" "Por que você não tem orkut?" Gosto de andar em ruas cheias, com folhas caídas no chão, gosto de receber uma pequena flor que venha do coração e gosto de trabalhar onde trabalho! Aprendi muito com você, antes eu gritava e não escutava as pessoas; hoje além de escutá-las quero abraçá-las; também aprendi que ser professor é uma tarefa difícil que exige muitos esforços para não ser autoritário. Ah! Outra lição foi respeitar e conviver com pessoas fora de nossa "panela", o que trouxe grande crescimento para mim (B. D. V. – Pedagogia/PUC).

O comentário final a respeito da "panela" pode ser explicado pelo fato de o Educador formar os grupos para os seminários buscando impedir que a atividade se desenvolva dentro dos grupos "habituais" da classe.

Observa-se dos trechos acima transcritos a percepção que os seminários permitem no nível do autoconhecimento. Em se tratando de adolescentes, significará sempre um Caminho para um "rito de passagem".

Rito de Passagem

Adolescência
A Criança que acorda
Acorda para o mundo do "eu quero" e "eu não quero"
Depois de um tempo no mundo do "tenho de"...

A semente abre-se na terra para gerar mais Vida...
A Criança abre-se no "mundo" para criar mais Vida...
A semente precisa da terra, da água e do sol...
A Criança precisa do Amor...

A árvore é a semente que "vingou"...
O ser humano é a criança que foi acolhida...
Acolhida pelos pais, pela Escola, por Si Mesma...
A semente inexoravelmente dará lugar "àquela" árvore escondida no mais dentro...
A Criança dará lugar a um Ser singular fruto de uma autotransformação...
A Criança traz "no mais dentro" o "Artista" que opera a transformação

O Rito de Passagem é a consciência despertada na Criança da existência do "Artista"...

Antes disso a Criança vivia em comunhão com esse "Artista" sem saber da sua existência...
Agora, a Criança assiste ao nascimento do "Artista"...

*Será Bem-Vindo, pois sua intuição lhe dirá que há muito tempo
  estavam juntos...*

*O nascimento desse "Artista" é o nascimento para o Espírito
É o "Nascer de Novo" anunciado nas Tradições...
É o "acordar" da Bela Adormecida
É o início do autoconhecimento
É o princípio de toda a Sabedoria...*

*Esse Rito de Passagem exige um "Parteiro"
Um "Parteiro do Espírito"...
O Irmão mais velho que já iniciou a Caminhada
E acolhe o "Novo Companheiro"...*
(*Transcrito do livro* Desafios na formação do educador.)

Para desenvolver esse rito de passagem, é importante que o Educador aborde também os mitos e lendas que envolvem a temática do autoconhecimento, por exemplo, o mito do Graal.

Em síntese, a história narra a busca do Graal, o qual poderia curar o Rei Pescador ferido e, conseqüentemente tornar a terra fértil. Escrevi um texto poético sobre esse mito e o transcrevo a seguir:

Encontrar o Graal

*Encontrar o Graal
Significa encontrar o Sentido e a Significação de Si Mesmo
Saber-se mais que sangue, músculos, ossos ou tecidos...
Saber do Mistério oculto no mais dentro.*

*Perguntar: "Para que serve o Graal?"
Para quem serve?*

Buscar as respostas é ir ao Encontro do Sagrado.
Ao encontro de Si Mesmo.

De que adiantaria toda a Beleza do Universo se Alguém não a acolhesse?
De que adiantariam os sons se a música não surgisse?
De que adiantariam as palavras sem o Entendimento?
De que adiantaria nosso Corpo se o "Artista" não lhe desse Vida?

Encontrar o Graal é perceber a Sincronicidade dos Eventos
É saber por que estou Aqui, neste Momento...
É saber o porquê de uma doença...
O porquê de um Encontro...

Encontrar o Graal é também Ouvir a Natureza
Perceber sua Magia
Sentir sua Textura
Cuidar dos Seres Vivos

O Rei Pescador ferido tem olhos e não vê
Ouvidos e não ouve
Mãos e não acaricia
Corpo e Sentimentos que não vibram...

Sua "Terra" é um Deserto...
Curar o Rei é Encontrar o Graal
E, então, responder às perguntas...
Que vêm do "dentro do dentro"...

Perguntas formuladas pela Criança Interior que despertou...
Se a Criança não Acorda e faz as perguntas
O Reino permanece deserto
E o Rei continua ferido...

9.
A QUESTÃO DO FEMININO

É impossível tratarmos do autoconhecimento sem enfrentar a problemática do chamado "resgate do feminino".

Já na Grécia Antiga, com o mito do Minotauro, a questão do feminino era tratada com sabedoria, ainda que no cotidiano a mulher fosse desconsiderada, como o tem sido ao longo dos séculos, ao menos até o século XX. No Oriente, aliás, mesmo hoje, em algumas culturas a mulher continua sendo vista em uma dimensão servil.

O mito do Minotauro nos dizia da força masculina presente no herói Teseu, a quem incumbia matar o Minotauro prisioneiro de um labirinto. Ocorre que sua namorada, Ariadne, adverte Teseu para levar um fio, que deveria ser desenrolado durante o percurso no labirinto, para que Teseu não se tornasse prisioneiro do mesmo labirinto. Ele seguiu o conselho de Ariadne e, após matar o Minotauro, o "fio" permitiu-lhe escapar do labirinto. Assim, o "fio de Ariadne" tornou-se o símbolo da sabedoria feminina a ser integrada na "força" masculina. Ariadne simbolizava Sophia, a deusa da sabedoria.

Curiosamente, o mito deixava entrever que o homem sem o "fio de Ariadne" tornava-se prisioneiro de um "labirinto", que no contexto simboliza a violência utilizada para matar o Minotauro. Os séculos que se seguiram revelaram, naquilo que chamei de adolescência da humanidade, a prevalência desse "homem guerreiro" prisioneiro de tal "labirinto". As infindáveis guerras religiosas, étnicas e outras tantas trouxeram-nos à realidade da bomba atômica! Por outro lado, não obstante a existência do mito do Minotauro, a situação histórica da mulher sempre foi largamente desconsiderada, como é notório. Fica evidenciado que com a ausência do feminino, da *anima*, o ser humano, como um todo, não sai mesmo do "labirinto"...

O resgate do feminino somente tem início "oficialmente" com o trabalho de Jung, no qual as figuras da *anima* e do *animus* são trazidas como arquétipos presentes nos seres humanos. O homem traz dentro de si a *anima*, o princípio feminino, e a mulher, o *animus*, ou princípio masculino. A integração dos opostos – masculino e feminino – ocorre, na visão junguiana, primeiramente no interior de cada pessoa.

Evidentemente, essa questão tem profunda repercussão no tema do autoconhecimento, pois a identificação dos opostos dentro de si mesmo é parte essencial dessa temática.

Inviável o desabrochar de si mesmo se, no caso do homem, por exemplo, for ignorada sua *anima*, ou seja, sua dimensão feminina, o que vai implicar a obstrução do desenvolvimento de sua sensibilidade, de forma especial. A famosa frase contemporânea de que "homem não chora"... Da mesma forma para a mulher o desenvolvimento da consciência do *animus* é que ensejará a sua integração com o universo masculino. Sim, somente um nível de conscientização maior de si mesmo é que vai permitir essa integração propugnada por Jung!

Para a Educação, é essencial a consciência profunda da presença do feminino em sua plenitude, e em situação de equilíbrio com o masculino!

Um dos dramas da "educação bancária" denunciada por Paulo Freire é o autoritarismo presente em grande parte das escolas, que é fruto de um universo "machista". A superação desse "machismo" somente será possível com o desenvolvimento dessa integração dos opostos, masculino e feminino.

Em sua obra *O eu e o inconsciente*, Jung afirma:

> Habitam uma esfera de penumbra, e dificilmente percebemos que ambos, *anima* e *animus*, são complexos autônomos que constituem uma função psicológica do homem e da mulher. Sua autono-

mia e falta de desenvolvimento usurpa, ou melhor, retém o pleno desabrochar de uma personalidade (p. 86).

Vê-se a relevância do trabalho de Jung no sentido da integração "feminino-masculino" à semelhança da Tradição taoísta que busca essa integração na figura do *Yin* e do *Yang*.

Jogo de xadrez

Quando só resta um peão
Tudo parece perdido...
Porém se o peão chega ao extremo...
Nasce outra "Rainha"!

Novamente o "Rei" estará protegido...
O "jovem inocente" transformou-se em rainha...
É o recomeço
É a Vida Plena outra vez!

Crer no "Peão" e na sua força
É descobrir a beleza da fragilidade e do "jovem inocente"...
Quando tudo parece perdido e o "reino devastado"...
Ressurge o "feminino" e o "reino" está salvo!

Assim no xadrez
Assim na vida.

(Transcrito do livro História que educam.)

Essa "regra" do jogo de xadrez, para quem não conhece, diz mesmo dessa transformação, da peça menos "importante", que é o peão, na mais "forte", que é a rainha. Curiosamente o rei estará, possivelmente, "salvo" a partir desse ressurgimento da "rainha"... Essa regra do jogo lembra muito o mito já aqui referido do Graal, que tem uma conotação do feminino. O cálice, que simboliza o Graal, é considerado uma metáfora do princípio feminino.

A Busca do Graal

A busca do Graal
É a infinda busca de si mesmo
Mesmo sabendo que "nada sabemos"
Acreditar na intuição, que nos conduz nessa busca

O cálice sagrado, o Graal,
É o símbolo do feminino traído
Resgatá-lo é recuperar o sentido da existência
O sentido do feminino
É nascer de novo...

Nascer para a profundidade
Nascer para expressar o som universal
Sentir-se o instrumento desse som

Aprender o sopro suave
E o som que vem...
Preenchendo o espaço
Encantando os ouvidos...

Assim, o feminino resgatado nos transforma num instrumento sagrado
Capaz da música, da beleza, da alegria, do amor...
Do profundo Encontro com o Outro...

O Homem percebe, então, que traz um músico no mais dentro...
Que faz a música...
Percebe também que é como uma flauta
Soprada pelo Espírito Infinito...

10.
O BRASIL E SUA MISSÃO COM A EDUCAÇÃO

Tenho insistido na missão peculiar de nosso país diante da situação mundial. Sim, de fato, o Brasil é uma nação continental, em que se fala uma única língua, sem dialetos, e onde a variedade religiosa e étnica é das mais acentuadas.

Talvez seja um dos poucos países onde o sincretismo religioso e o ecumenismo afastem qualquer conflito dessa ordem. De outra parte, as diferentes etnias convivem sem discriminações significativas.

Acredito que essa mensagem de paz e integração é hoje fundamental para todo o planeta e deve se inserir em uma proposta global de educação.

Na verdade, Paulo Freire foi um profeta nesse sentido, quando anunciava o cerne de sua principal reflexão: "conscientizar antes de alfabetizar". Na verdade, "tomar consciência" envolve uma percepção profunda daquilo que o mesmo Freire denominava "mundo vida".

Uma abertura desse jaez é inovadora e seus desdobramentos encontram hoje um fundamental campo de aplicação em todas as nações. Inclusive o próprio autoconhecimento está implícito nessa "conscientização".

Curiosamente, o padre italiano d. João Bosco, fundador da congregação dos salesianos canonizado em 1934 pela Igreja Católica, teve, no século XIX, um sonho profético, que indicava que o berço de uma nova civilização estaria no coração da América do Sul. Viajando pela primeira vez ao nosso continente, ainda no século XIX, o religioso identificou o local onde hoje está Brasília! Inclusive, há uma ermida, existente até os dias atuais, que na ocasião foi lá construída.

Verdadeiro ou não, esse sonho, constante da biografia oficial de d. João Bosco, corresponde à realidade, seja no que diz respeito à existência de Brasília, seja na circunstância, aqui já apontada, da realidade pacífica, integradora de etnias e religiões, algo inédito no planeta, hoje em processo crescente de realização entre nós. Será mesmo, espero, uma "nova civilização"...

Observe-se, centrando nossa reflexão na Educação, que além da obra de Paulo Freire, hoje difundida em muitos países, surgiu em Portugal uma nova proposta educativa, em uma escola pública denominada Escola da Ponte, inspirada também por um brasileiro, Rubem Alves.

O passo adiante que vejo hoje é a inclusão nos currículos nacionais de um processo de "conscientização" das novas gerações, desse sentido histórico da "missão" pacífica e integradora de nosso país, como aqui apontado.

Para que não se imagine tratar-se apenas de uma utopia, chamo a atenção, por exemplo, no plano religioso, para um sem-número de grupos espiritualistas, inspirados no kardecismo, que atuam no plano social, em obras assistenciais da maior relevância em nosso país.

Por outro lado, tais grupos integraram-se com outras religiões, desenvolvendo uma visão espiritualista, que transcende a visão de uma religiosidade exclusiva e plena de antagonismos. Esse aspecto, aliás, é hoje, mais que nunca, indispensável para a Educação.

De fato, já enfatizei nessa reflexão a importância para o autoconhecimento da consciência da dimensão espiritual do ser humano, independentemente de crenças particulares. A perda da espiritualidade é que acarreta a doença ainda presente em nossa educação, que Paulo Freire chamava de "educação bancária", ou seja, uma educação conteudista que somente privilegia a racionalidade.

Pois bem, minha proposta para o Brasil é a criação de determinada disciplina nas escolas, de manhã ou à tarde, na qual o

Educador, em vez de ficar enlouquecido com os 45 minutos de aula com uma classe (raiz da "escola bancária"), terá um período maior, para não só discutir o seu conteúdo, como também trabalhá-lo de formas distintas, inserindo inclusive uma visão interdisciplinar. Haverá tempo para combinar os conteúdos com as artes, dramatizações e outras formas de expressão que trarão a abertura para a espiritualidade, como já abordei em outro capítulo deste livro.

Sinto que temos aqui no Brasil todas as precondições para realizar esse resgate pleno da identidade de nossos alunos, incluindo sua dimensão espiritual.

Voltando à questão étnica, observe-se a integração de orientais, judeus e árabes e ainda de imigrantes de distintas outras etnias, que aqui convivem em ambiente pacífico e de absoluta integração. Há, também, a integração de negros e brancos, que é uma das mais significativas do planeta. A questão dos indígenas, uma das mais sensíveis, ainda é enfrentada com a criação das chamadas reservas, pois sua integração seguramente é mais lenta. Para tanto, foi criada a Fundação Nacional do Índio (Funai), com intuito de equacionar o problema.

Evidentemente, todo esse quadro descrito não "resolveu" ainda muitos dos problemas que vivenciamos, sejam de miséria em alguns bolsões, sejam de desníveis econômicos significativos.

Quero deixar claro que a situação aqui descrita equivale àquilo que me referi neste trabalho, quando apontei o início de uma "maturidade" do ser humano, após o "fim da adolescência"...

Sinto que nesse início de uma nova época na história da humanidade, o Brasil ocupa um espaço que, sincronisticamente, representa o lugar que ocupamos na ONU, de país que abre anualmente os trabalhos!

Proponho que nosso projeto educativo traga aos jovens essa visão de uma Nação que busca a paz em todos os níveis, mesmo tendo ainda problemas sérios a resolver. Trata-se, como já enfatizado, de conscientizá-los de suas ações para o contínuo crescimento da Nação.

O Brasil e a Paz Mundial

O Brasil precisa anunciar a tomada de uma nova consciência
Há dois mil anos uma frase ecoou como profecia ainda não vivida
"Os antigos diziam: 'Olho por Olho, Dente por Dente'"
"Eu vos digo: Amai os vossos inimigos"...

Parece uma utopia...
Durante vinte séculos o próprio cristianismo de onde se originou o acima
 dito
Viveu em suas igrejas a "adolescência" do Amor...
Cruzadas, Inquisições, Perseguições...

Ainda o "olho por olho"...
Até 1945
Quando a bomba atômica "anunciou" um possível fim do planeta
Uma guerra nuclear...

Nasce então uma nova consciência...
Um anúncio de uma nova era
Da maturidade do Ser Humano
Anunciado, dentre outros profetas, por Gandhi...

Concomitantemente a "conscencialização" de Chardin
A conscientização de Paulo Freire
A consciência ecológica
A proclamação dos "Direitos Humanos" pela ONU

É um começo...
Sincronisticamente o Brasil é convidado a inaugurar os trabalhos da ONU
Sim, o Brasil, com todos os seus problemas não resolvidos
Mas que revela um nível de integração racial e religiosa únicas no planeta...

Um país continental, sem dialetos,
Não obstante o imenso percentual de raças presentes desde sempre...
Brancos e Negros, Árabes e Judeus
Convivem de forma única no planeta

De outra parte, vê-se em todas as Nações
O surgimento de trabalhos voluntários:
Médicos sem fronteiras...
Anistia Internacional...

A ciência nos anuncia, com Einstein, a relatividade do espaço e do tempo
Com Capra, um "Ponto de Mutação"...
Com Jung, o caminho da individuação...
Com Huxley a "Filosofia Perene"...

Há seguramente muito a fazer...
Foram séculos de "infância" da humanidade
"De olho por olho"...
Séculos de adolescência
Até a bomba atômica...

Iniciamos no século passado o Caminho da Maturidade
O início da "conscientização"
Do autoconhecimento
Do acolhimento do Outro...

CONCLUSÕES

Não existem conclusões, no sentido estrito do termo. Existe uma tentativa de convidar meus parceiros educadores, em sentido amplo, porque a educação se dá em toda a parte, a ampliar a reflexão aqui iniciada.

Tenho absoluta clareza de que há muito a dizer e muito a fazer...

Não quero encerrar esta obra sem mencionar duas contribuições inestimáveis em meu percurso. A primeira, da professora Ivani Fazenda, que foi quem me iniciou nos trabalhos de pós-graduação na PUC-SP, e com quem até hoje partilho atividades, em seu grupo de pesquisa, no Programa de Currículo da PUC, com o tema da Interdisciplinaridade.

Participei inclusive como co-autor de obras organizadas por Fazenda, que menciono na bibliografia desta obra, pois tudo que pesquisei neste percurso é pertinente ao trabalho que ora apresento. Somente tenho a agradecer toda a iniciação e aprendizado.

Uma segunda menção diz respeito à Pedagogia Waldorf, que sempre provocou em mim uma profunda reflexão. De fato, a obra de Rudolf Steiner, sintetizada na obra de Rudolf Lanz, também mencionada na bibliografia deste livro, serviu de inspiração para muitos de meus trabalhos. Na verdade, o próprio Lanz participou de minha banca de mestrado, quando Ivani Fazenda foi minha orientadora.

De outra parte, quero esclarecer nessas conclusões que utilizei largamente poesias nesta obra pois entendo que sua linguagem permite "dizer" coisas além da razão... A Arte como Caminho...

Vou passar a uma aluna da PUC as palavras finais sobre o autoconhecimento em uma avaliação feita ao término de um curso:

> Acredito no autoconhecimento, pois é ele que possibilita alcançarmos a nossa real existência, o sentido que temos para a vida. Ter consciência de si mesmo, de nossa identidade, de nossa existência para o mundo, e principalmente para nós mesmos. Quando nos encontramos e nos descobrimos, temos, então, com o autoconhecimento, a possibilidade de transformar o mundo e a nós mesmos, a capacidade de um melhor entendimento da vida, de uma reflexão mais intensa dos acontecimentos, de conexões mais profundas e mais amorosas, repletas de sentimento. Para mim o autoconhecimento é ser feliz, é estar bem (ou não) com a vida e com os outros, e, mesmo não estando bem, é ter em mãos a possibilidade de transformação e mudança. O autoconhecimento como Ponto de Mutação é essencial. (M. J. A. – Pedagogia/PUC-SP)

Finalmente, como não podia deixar de ser, uma poesia dedicada, de forma particular, a meus colegas educadores:

Utopia

Buscar no íntimo de si mesmo
Uma crença
Uma esperança

Uma saída para o Ato de Educar

Cansamo-nos do "todo dia tudo sempre igual"
Há que haver uma saída além dos livros
Além das teorias
Além do consumismo educacional...

Há que buscar saída lá atrás...
No dia em que "decidimos" ser professores...
No dia em que, presentes à nossa juventude, sonhávamos
Acreditávamos

Por que desistimos?
Por que não lutamos?
Quem roubou nossa Utopia?
Quem nos furtou a "Vida" a ser vivida?

O primeiro passo rumo a uma nova Educação é o resgate daquilo
Que um dia sonhamos...
Que um dia nos trouxe a educação...
Nos fez acreditar que era nossa Utopia...

O convite que faço é para juntos resgatarmos nossos sonhos
Escaparmos da tirania dos "vestibulares" apresentados como "fim
 último" do processo educativo
Escaparmos dos políticos que nunca sonharam educação...
Acordarmos para nossos velhos sonhos guardados "no mais dentro"...
Até Sempre!

BIBLIOGRAFIA

ABRAHAM, Ralph; McKenna, Terence; Sheldrake, Rupert. *O caos, a criatividade e o retorno ao sagrado*. São Paulo: Cultrix, 1994.
BOLEN, Jean Shinoda. *A sincronicidade e o Tao*. São Paulo: Cultrix, 1988.
CAPRA, Fritjof. *O ponto de mutação*. São Paulo: Cultrix, 1990.
CHARDIN, Teilhard. *O fenômeno humano*. São Paulo: Cultrix, 1989.
ESPÍRITO SANTO, Ruy Cezar do. *Pedagogia da transgressão*. Campinas: Papirus, 1996.
_____. *O renascimento do sagrado na educação*. Campinas: Papirus, 1998.
_____. *Histórias que educam*. São Paulo: Ágora, 2001.
_____. *Desafios na formação do educador*. Campinas: Papirus, 2005.
FAZENDA, Ivani (org.). *Práticas interdisciplinares na escola*. São Paulo: Cortez, 1993.
_____. *A academia vai à escola*. Campinas: Papirus, 1994.
_____. *Dicionário em construção: interdisciplinaridade*. São Paulo: Cortez, 2001.

FREIRE, Paulo. *Conscientização*. São Paulo: Moraes, 1980.

HOFFMAN, Edward. *A sabedoria de Carl Jung*. São Paulo: Palas Athena, 2005.

HUXLEY, Aldous. *Filosofia perene*. São Paulo: Cultrix, 1991.

ISMAEL, J. C. *Thomas Merton – O apóstolo da compaixão*. São Paulo: T. A. Queiroz, 1984.

JUNG, C. Gustav. *Memórias, sonhos e reflexões*. Rio de Janeiro: Nova Fronteira, 1975.

_____. *O eu e o inconsciente*. Rio de Janeiro: Vozes, 1996.

LANS, Rudolf Lanz. *Pedagogia Waldorf*. São Paulo: Antroposófica, 1994.

LUTYENS, Mary. *Vida e morte de Krishnamurti*. São Paulo: Teosófica, 1989.

SHELDRAKE, Rupert. *O renascimento da natureza*. São Paulo: Cultrix, 1991.

SWIMME, Brien. *O universo é um dragão verde*. São Paulo: Cultrix, 1996.

WILBER, Ken. *Espectro da consciência*. São Paulo: Cultrix, 1990.

ANEXO

O Curso de Autoconhecimento na Formação do Educador

Nesses últimos dez anos que trabalhei na PUC-SP, desenvolvi um curso com o título acima. Creio que será importante registrar aqui trechos de depoimentos de diversos alunos desse período para que possa ser avaliado o efeito no corpo discente do desenvolvimento de tal trabalho.

1. DESDE QUE COMEÇARAM AS AULAS, TENHO ME PREOCUPADO MAIS COMIGO MESMA. TENHO ME PREOCUPADO EM PRESTAR MAIS ATENÇÃO EM MIM E NAS PESSOAS QUE ESTÃO AO MEU REDOR. TENHO TIDO UMA BOA MELHORA NA FORMA DE ME EXPRESSAR, TENHO CONSEGUIDO EXPOR COM MAIS FACILIDADE MEUS PROBLEMAS PARA OS OUTROS E, DA MESMA MANEIRA, TENHO MOSTRADO PARA AS PESSOAS QUE EU REALMENTE AS ADMIRO E O QUANTO ELAS SÃO IMPORTANTES PARA MIM. E ISSO TEM SIDO BOM, POIS ULTIMAMENTE ME SINTO MUITO MELHOR. ALÉM DE TODAS AS EVOLUÇÕES NA MINHA VIDA, O MAIS IMPORTANTE É QUE REALMENTE TENHO ME ENCONTRADO, ME CONHECIDO MELHOR. POR ISSO, MESMO MUDANDO DE FACULDADE, NÃO QUIS ABRIR MÃO DESTA DISCIPLINA (M. M. L. D. – PEDAGOGIA/PUC-SP – 1999).

2. Durante este caminho de descobertas tentei me conhecer como educadora e repensar sobre minhas atitudes perante os alunos. Posso concluir que foi maravilhoso este processo de busca interior e espero que tenha sido para meus alunos e para as pessoas que convivem comigo. Neste instante posso dizer que no início do curso me sentia como a "sapatilha" que tinha medo de seus próprios erros, mas hoje continuo como uma "sapatilha" apaixonada pelo que faz, mas com uma diferença: consigo ver meus erros e tentar superá-los, pois eles são necessários para uma verdadeira aprendizagem (R. M. C. F. – Pedagogia/PUC – 1998).

3. Para mim o percurso das aulas foi muito gratificante. Os trabalhos eram realizados em perfeito sincronismo, ou seja, cada um deles era complementar ao anterior e naquele momento era exatamente o que eu estava precisando fazer: ora me olhar nos olhos, para me enxergar, ora fazer uma poesia, ora criar um conto... Todo o processo foi importante. Cada trabalho despertou algo dentro de mim. Minha sensibilidade, que já é bastante presente, cada vez era mais acentuada. Talvez porque voltei a perceber coisas que estavam escondidas dentro de mim e há tempos não brotavam (L. S. – Pedagogia/PUC – 1998).

4. Resumo todas as sensações vividas no percorrer do caminho que levaram à execução dos trabalhos em uma única palavra: "descobertas". Com certeza o mais importante foi aprender coisas novas e diferentes que me levaram a descobrir coisas dentro de mim, antes desconhecidas ou talvez escondidas, como o poder de amar o outro (S. M. O. M. – Pedagogia/PUC – 1998).

5. Nosso mundo está "doente" e nossas discussões em sala, nossos trabalhos estão relacionados com o nome da disciplina porque ela envolve e trabalha com a formação do educador, do indivíduo como pessoa, em todos os seus aspectos. Hoje, penso que para conhecer o outro (nossos alunos principalmente) há a necessidade de nos conhecermos primeiro. Isso é fundamental e o curso contribuiu para alcançar esse objetivo. O mais interessante é que o alcance se deu de maneira clara, espiritual e não "doutrinária", mecânica. As conversas que tivemos foram muito valiosas, em que as experiências individuais favoreceram o crescimento coletivo; foi o início de uma aprendizagem cooperativa e construtiva (R. G. F. – Pedagogia/PUC – 1998).

6. Cada novo trabalho era uma busca. Uma busca a algo que eu não sabia o que era. Era curioso porque não sabia aonde chegaria, o que daria ao término de cada um, mas depois de concluí-los sempre acabava descobrindo alguma coisa. Essa "coisa" era sempre em mim e que eu ainda não havia descoberto (e achava que não existia) mesmo já tendo realizado experiências anteriores parecidas. [...]

Aprendi que eu acho muitas coisas de mim, e acabo me desconhecendo, na essência, pelo fato de achar que sou de "tal" maneira que na verdade não sou. E, ao escrever essas palavras, complemento que a verdade não existe, ela se faz ao viver e me parece que sempre vou mudar porque cada vez mais vou me descobrir e sei que vou me surpreender. Fico até curiosa por saborear os pedacinhos de A.L. que surgirão pelo caminho. Pedacinhos de um conjunto infinito. Infinito que sai plantando... Sai contribuindo ao seu redor com sua beleza, sua sombra, seus galhos, dando um colorido à paisagem, assim como no livro que trabalhei em uma das aulas (A. L. C. – Pedagogia/PUC – 1998).

7. Vivemos em um mundo onde a maioria dos seres humanos são seres fragmentados, divididos em compartimentos, em todos os aspectos. Trabalhamos (obrigação) para ganhar dinheiro, para pagar a faculdade e ter momentos de lazer. Submetemo-nos a todas as regras da sociedade, pois temos uma vida "normal", ou seja, somos vistos como seres fragmentados e nunca como seres completos. Interiormente sempre relutei contra essa fragmentação. Não acredito que a vida seja feita de alguns momentos felizes e milhares de outros de estresse, preocupação. Quando conversava sobre esse assunto, falavam que isso é coisa de adolescente que quer tentar mudar o mundo, mas sempre guardei isso dentro de mim, apesar dos meus "medos" e hábitos (todo dia ela faz tudo sempre igual). Com esse trabalho de autoconhecimento vi que o ser humano pode ser visto em sua totalidade, mesmo no atual mundo em que vivemos; temos um lado muito importante para renascer, o espiritual, o sagrado, que faz você enxergar as coisas de outra maneira (V. M. D. A. – Pedagogia/PUC – 2000).

8. Esse curso com certeza mexeu nas minhas asas. É provável que novamente eu responda que não sei quem sou. Mas, sem dúvida, será uma resposta mais segura, sem medo ou receio de não saber quem sou eu mesma. O curso, as conversas, os exercícios, os textos que li, os textos que escrevi instigaram mais a minha vontade de buscar uma

RESPOSTA, SEM A OBRIGAÇÃO DE UMA RESPOSTA DEFINITIVA, PORQUE A CADA BATIDA DE ASAS SOU ALGUÉM QUE ESTÁ MUDANDO. VOEI ALTO EM MUITOS EXERCÍCIOS DO CURSO E FOI MUITO BOM... APRENDI ALGO IMPORTANTE: ACOLHER A BELEZA. ACHO QUE ANTES JÁ ACOLHIA, MAS AINDA COM MUITA PRESSA. O GRANDE RISCO DE "AMAR COMO SE NÃO HOUVESSE AMANHÃ" É AMAR COM PRESSA... ESTOU APRENDENDO A LARGAR ESSA PRESSA E A TRANSFORMÁ-LA EM INTENSIDADE. AMAR MESMO PROFUNDAMENTE, PLENAMENTE. ESTOU PRESTANDO ATENÇÃO EM MIM NESSE SENTIDO. NÃO QUERO MUDAR O MEU JEITO "RÁPIDO" PORQUE GOSTO DELE. MAS SÓ NÃO QUERO DEIXAR DE APROVEITAR, ENXERGAR E VIVER AS BELEZAS À MINHA VOLTA POR CAUSA DISSO (R. M. V. – JORNALISMO/PUC – 2000).

9. NÃO POSSO DIZER PELAS MINHAS AMIGAS, MAS ME TRANSFORMEI MUITO DEPOIS DE NOSSAS REFLEXÕES. PRIMEIRAMENTE APRENDI A OLHAR PARA MIM, A ME AMAR. SEM DÚVIDA NENHUMA, HOJE VIVO BEM MELHOR COMIGO MESMA. ÀS VEZES ME PEGO SORRINDO SEM MOTIVO, APENAS FELIZ POR ESTAR VIVA E PRINCIPALMENTE ME SENTIR (SIC) VIVA E VALORIZANDO ESSA VIDA. ACORDO FELIZ APENAS POR ESTAR ACORDANDO E SABER QUE TENHO UM BELO DIA PELA FRENTE, TODINHO MEU. ACHO QUE ESTOU VIVENDO UM MOMENTO DE PAIXÃO POR MIM MESMA! ESSA SENSAÇÃO É MARAVILHOSA, ESTOU MUITO FELIZ DE TER ENCONTRADO ESSA PAIXÃO DENTRO DE MIM. HOJE CONSIGO VER QUE AS COISAS ESTÃO DENTRO DE NÓS MESMOS E APENAS NÓS PODEMOS CONSEGUIR O QUE QUEREMOS. ESTOU MOTIVADA, ENTUSIASMADA COM MEUS OBJETIVOS DE VIDA E COM A CERTEZA DE QUE PARA ALCANÇÁ-LOS PODEREI CONTAR COM A AJUDA DESSA NOVA M., E ESTOU ORGULHOSA DE TUDO ISSO (M. W. C. – PEDAGOGIA/PUC – 2000).

10. HOJE TENHO UMA VISÃO MAIS INTEGRAL DO SER HUMANO, DO POTENCIAL DE TRANSFORMAÇÃO E DAS INTER-RELAÇÕES DOS ACONTECIMENTOS DA VIDA E DE QUE A FRAGMENTAÇÃO FAZ QUE CAIAMOS NA IGNORÂNCIA, TORNANDO NOSSA EMOÇÃO E SENSIBILIDADE ABAFADAS, PREDOMINANDO O LADO RACIONAL, QUANDO, NA VERDADE, DEVERIA HAVER EQUILÍBRIO ENTRE AMBOS. AGORA QUE DESPERTEI VEJO E PERCEBO A IMPORTÂNCIA DE SUAS AULAS E DE TODO O SEU PROCESSO DE TRABALHO, QUE PROPORCIONA A NÓS, FUTUROS EDUCADORES, NÃO SÓ A RECUPERAÇÃO DE UM AUTOCONHECIMENTO INTEGRAL, MAS TODO UM TRABALHO PARA QUE PERCEBAMOS E VEJAMOS COMO É A EDUCAÇÃO QUE ESTÁ SENDO PASSADA PARA OS ALUNOS, QUE FINDA SENDO DE "CEGOS CONDUZINDO CEGOS" E NOS QUAIS EU ESTAVA INCLUÍDA (S. T. Y. K. – PEDAGOGIA/PUC – 2000).

11. NA EDUCAÇÃO, MUITOS EDUCADORES ESTÃO PRESOS AO PASSADO, COISAS SUPERADAS, APOSTILAS PRONTAS. NÃO PROCURAMOS ENTENDER OS PROBLEMAS

da realidade que nos cerca, compreendendo a interligação dos acontecimentos. É por isso que o grande desafio do educador é fazer o aluno perceber que somos todos eternos aprendizes. Sabemos que as coisas acontecem rapidamente, e precisamos estar atualizados, mas não devemos perder a verdadeira experiência do agora, que consiste em não nos prender tanto a fatos passados ou nos preocupar com os acontecimentos futuros. O educador deve resgatar a experiência do agora, deve buscar compreender a particularidade dos alunos, olhando-os verdadeiramente, não como "peças de uma máquina", mas como seres humanos, significantes e capazes de mudar o mundo. A visão masculina na educação pode ser observada no autoritarismo do professor, quando este acha que "tudo sabe". Para superar essa visão é preciso trazer para a educação o estado de ignorância do ser humano diante do universo. É preciso levar o aluno à busca do autoconhecimento percebendo o equilíbrio entre as energias masculinas e femininas. [...] Considero que estou a caminho do autoconhecimento! Estou tentando a cada dia estar realmente presente no agora (V. L. – Pedagogia/ PUC – 2000).

12. Aprendi que eu me amo e sou muito importante na vida das outras pessoas. Descobri também muitas coisas, por exemplo: ao mesmo tempo em que estou amadurecendo, acho (é o que sinto) que nunca deixarei de ser criança. Que bom, não é? Bom é ver que consigo ficar feliz quando as crianças (5ª série) da escola pública em que faço estágio ficam supercontentes com minha presença. É bom saber que eu (e os outros) faço (fazem) diferença nesse mundo. A grande dificuldade foi o encontro comigo mesma, entender a proposta do curso verdadeiramente. Por trás era o medo do novo: o autoconhecimento. Mas superei porque nos foi mostrada a coragem que está adormecida em cada um de nós. Hoje posso dizer que sou uma menina-mulher e tenho momentos mesclados desses dois papéis. Acho que me encontro em um momento de dúvidas e incertezas, mas considero esse meu estado necessário à minha existência, que é passageira, pois sei que farei o que quero, já que sou livre e autônoma no meu caminho, mas também dependo dos outros para agir e reagir. Hoje sou a M., ser humano, menina-mulher, futura pedagoga, mas sou além disso: sou vida diante da beleza do universo (M. C. E. – Pedagogia/PUC – 2000).

Poderia trazer mais depoimentos, porém creio que os acima transcritos são suficientes para desvelar como os alunos são atingidos na atividade desenvolvida na direção do autoconhecimento. As estratégias utilizadas que surgem no decorrer dos depoimentos podem ser assim enumeradas:

1. Exercício de olhar os olhos no espelho (feito em casa) com a indagação: "Quem sou eu?"

2. Na seqüência, exercício feito em sala de aula, em duplas, de olhar nos olhos de um companheiro de classe; nesse exercício há um momento de a dupla ficar de mãos dadas e olhos fechados, para depois se olharem novamente nos olhos.

3. Exibição dos seguintes filmes seguidos de reflexões escritas: *Patch Adams, Ponto de Mutação, Shirley Valentine* e *Buraco Branco no Tempo*.

4. Textos de Rubem Alves, com a estratégia de cada um escolher um texto que lhe diga respeito, explicando o porquê da escolha; na seqüência, proponho um texto para cada aluno a fim de que ele descubra o motivo da minha escolha.

5. Trabalho com diferentes livros que levo para a sala de aula; denomino a atividade de "namorar livros". O aluno deve escolher um livro, resgatar o trecho que motivou sua escolha e explicá-la; da mesma forma que no trabalho com textos, também escolho um trecho de outro livro, quando o aluno deverá dizer, em trabalho escrito, por que foi feita tal escolha.

6. Em todas as atividades escritas, seja com base em filmes, textos ou livros, há sempre o pedido de que se elabore uma poesia inspirada naquilo que foi visto ou lido; peço também que escrevam a respeito do questionamento que fica após a tarefa realizada.

7. Trabalho também com mitos, lendas, contos de fadas relacionados à questão do autoconhecimento, como o mito do Graal.

8. Há sempre um trabalho final, do qual extraí a maioria dos depoimentos acima, em que os alunos assinalam aquilo que aprenderam durante o curso, dúvidas que surgiram, críticas e sugestões.

Claro que sempre vão surgindo outras estratégias, mas as mais significativas e presentes no curso são as acima mencionadas.

O AUTOR

Ruy Cezar do Espírito Santo formou-se advogado pela Faculdade de Direito da Universidade de São Paulo, mas escolheu a prática de educador.

É mestre em Educação, pela PUC-SP, e doutor em Filosofia da Educação, pela Unicamp.

Lecionou para o 1º e 2º graus no período de 1968 até 1982, nos colégios Nossa Senhora do Sion, Rainha da Paz e Oswald de Andrade.

A partir de 1970 passou a lecionar em universidades, nos cursos regulares da PUC-SP, da Anhembi-Morumbi e da Faap e nos cursos de extensão e pós-graduação de diversas instituições.

Tem participado como conferencista de inúmeros congressos e seminários sobre Educação em todo o Brasil.

É co-autor de vários livros e tem três obras publicadas: *Pedagogia da transgressão* (1996) e *Renascimento do sagrado na Educação* (1998), ambos pela editora Papirus, e *Histórias que educam* (2001), pela editora Ágora.

Exerceu o cargo de vice-reitor da PUC-SP de 1992 a 1994.

www.gruposummus.com.br

IMPRESSO NA
sumago gráfica editorial ltda
rua itauna, 789 vila maria
02111-031 são paulo sp
tel e fax 11 **2955 5636**
sumago@sumago.com.br